相会在中国 Meeting in China

实用汉语听力课本
Practical Chinese: Listening Comprehension

第二册
Book Two

主　编　邓恩明

副主编　陈若凡

编　著　（按音序排列）

陈若凡　邓恩明　李　宏

刘社会　吴春仙

北京语言大学出版社

（京）新登字 157 号

图书在版编目（CIP）数据

实用汉语听力课本．第 2 册/陈若凡等编著．
－北京：北京语言大学出版社，2003
（相会在中国/邓恩明主编）
ISBN 7－5619－1202－1

Ⅰ．实…
Ⅱ．陈…
Ⅲ．汉语－听说教学－对外汉语教学－教材
Ⅳ．H195.4

中国版本图书馆 CIP 数据核字（2003）第 026951 号

责任印制：汪学发
出版发行：北京语言大学出版社
社　　址：北京市海淀区学院路 15 号　邮政编码：100083
网　　址：http://www.blcup.com
印　　刷：北京北林印刷厂
经　　销：全国新华书店
版　　次：2003 年 12 月第 1 版　2003 年 12 月第 1 次印刷
开　　本：787 毫米×1092 毫米　1/16　印张：10.25
字　　数：139 千字　印数：1－3000 册
书　　号：ISBN 7－5619－1202－1/H・03033
　　　　　2003 DW 0013
定　　价：25.00 元
出版部电话：010－82303590
发行部电话：010－82303651　82303591
　　　传真：010－82303081
E-mail：fxb@blcu.edu.cn

前 言

《相会在中国——实用汉语听力课本》是继《入门课本》之后，进行分技能训练所使用的教材。它通过功能的路子进行初级阶段的教学，既可以与《口语课本》《读写课本》配套使用，同时又具有相对的独立性，也可以单独使用。

编写原则：

一、以功能为纲，突出听力技能训练的特点

听力教学的重点是提高学生的听力技能，培养学生在真实的交际环境中运用语言的能力。

本教材以功能为纲，每一课都有两至三段功能会话，学习者通过不同情景的会话提高听力，并练习会话，完成听、记能力的综合训练。

二、科学合理、循序渐进的训练方法

词汇由易到难，句子由短到长，语速由慢到快，结构由简到繁，学习者循序渐进，逐步提高听力和言语表达能力。本书依照循序渐进的原则、整体练习和突出难点的原则及反复多练的原则来进行科学的安排。

三、重视关键词、句的听力训练

本书编排的教学顺序是从词到句，最后到语段。听一段话，重点是听懂其中的关键句，就一个句子而言，说者往往通过重音、停顿、语气、语调等的变化，强调其中某个部分，这部分听懂了，整个句子也就理解了。《听力课本》的词、词组及句子的模仿练习大部分都是课文中出现的关键词与关键句，为听懂功能会话，理解课文打下基础。

《听力课本》共分两册，每册 15 课，每课包括生词、听后模仿、功能会话、课文、理解及听辨练习五部分。

全书由陈若凡完成初稿，编者集体讨论，主编定稿，英文翻译何昕晖。

编 者

Preface

Meeting in China—Practical Chinese: *Listening Comprehension* is designed for learners to train their skills separately after they have completed the elementary course. It organizes the teaching of the elementary course with the focus on language function, which may be used either together with the *Speaking* and *Reading and Writing* textbooks, or separately with relative independence.

Principles of Compilation:

1. Taking the communicative function as the guiding principle to stress the characteristics of the training of listening skills.

The objective of the teaching of listening is to improve students' listening skills and cultivate their abilities to use the language in the real communication.

Taking the communicative function as the guiding principle, the textbook has two or three functional dialogues in different situations for each lesson to help the learners to improve their listening skill and practice the dialogues, thus facilitating the combined training of listening and memorizing.

2. Adopting the scientific and progressive training method

The vocabulary, sentences, sentence speed and structures are all arranged in the order of progressive degrees of difficulty, so as to help the learners gradually improve their listening and speaking skills. This book is compiled by following the principles that all the materials are scientifically arranged in a progressive and integrated way, overall practices are offered while stressing the difficult points, and ample exercises are also supplied.

3. Stressing the training of listening to the key words and sentences

The book, in structure is arranged in the teaching order from words to sentences, and then to passages. As we know, the key to understanding a passage is to get the gist of the key sentence. In terms of a sentence, the speaker usually gives emphasis to a part of it through a change of stress, pause, mood or tone. Once they understand this part, the learners will master the meaning of the whole sentence. The words, phrases, and imitation exercises of sentences provided in the textbook are mostly the key words and sentences of the lessons, which serve as a foundation for understanding the functional dialogues and the texts.

The *Listening Comprehension* consists of two volumes, each containing 15 lessons. Each lesson covers five parts: new words, listen and repeat, functional dialogues, text and comprehension and differentiation.

The first draft of the book is prepared by Chen Ruofan. It is finalized by the chief compiler after the group discussion. He Xinhui translated the book into English.

Compilers

目 录

CONTENTS

* 每课后边的第一个页码为练习页码,第二个为录音文本和练习答案的页码。
The first is the page number of the exercises, and the second the tapescript and the answer key.

目录

注：课后边的第一个页码为练习页码，第二个为录音文本和练习答案的页码。

The first is the page number of the exercises and the second the tapescript and the answer key.

第十六课 Lesson 16 他学钢琴学了十年了

生词 New Words

1. 儿子	(名)	érzi	son
2. 钢琴	(名)	gāngqín	piano
琴	(名)	qín	musical instrument
3. 弹	(动)	tán	to play (a musical instrument)
4. 市	(名)	shì	city
5. 名	(名)	míng	place in a competition
6. 祝贺	(动)	zhùhè	to congratulate
7. 架	(量)	jià	*measure word*
8. 花	(动)	huā	to spend
9. 重要	(形)	zhòngyào	important
10. 专业	(名)	zhuānyè	speciality
11. 聪明	(形)	cōngmíng	clever
12. 进步	(形、动)	jìnbù	progressive; progress
13. 机会	(名)	jīhuì	opportunity, chance
14. 总	(副)	zǒng	always
15. 当	(动)	dāng	to be
16. 画家	(名)	huàjiā	painter
17. 信心	(名)	xìnxīn	confidence
18. 画	(动)	huà	to paint
画儿	(名)	huàr	painting
19. 不断	(副)	búduàn	continuously
20. 地	(助)	de	*structural particle*
21. 实现	(动)	shíxiàn	to realize
22. 愿望	(名)	yuànwàng	wish
23. 昨天	(名)	zuótiān	yesterday

24. 睡觉		shuì jiào	to sleep
25. 醒	（动）	xǐng	to wake
26. 生词	（名）	shēngcí	new word
27. 艺术	（名）	yìshù	art
28. 建议	（动、名）	jiànyì	to suggest; suggestion
29. 小说	（名）	xiǎoshuō	novel
30. 世界	（名）	shìjiè	world
31. 油画	（名）	yóuhuà	oil painting
32. 选	（名）	xuǎn	to choose
33. 展览	（名）	zhǎnlǎn	exhibition
展	（名）	zhǎn	show

专　名　Proper Noun

中国美术馆	Zhōngguó Měishùguǎn	China Art Gallery

听后模仿　Listen and Repeat

一、听词组，然后跟读　Listen to the phrases and repeat after them

二、听句子，然后跟读　Listen to the sentences and repeat after them

功能会话　Functional Dialogues

一、【谈学业】（Talking about home study）

1. 判断正误　Determine whether the following statements are true or false:

(1) 他儿子最近在钢琴比赛中得了第一名。　（　）

(2) 他儿子五岁的时候开始学钢琴。　（　）

(3) 老师是专业老师。　（　）

(4) 他儿子不是每天都练钢琴。　（　）

(5) 老师很聪明，学琴进步很快。　（　）

2. 模仿完成会话　Complete the dialogue according to what you hear:

A：听说__________，最近在北京市比赛还______。祝贺你！

B：谢谢！

A：他学钢琴__________？

B：他学了______。他五岁的时候，我给他__________。

A：他每天都练习吗？

B：__________。老师很______，练习______。

A：他的老师是谁？

B：我给他__________，这位老师很喜欢他，说他______，______。

A：要是有机会，我能__________？

B：可以啊。

二、【鼓励】（Encouragement）

1. 选择正确答案　Choose the right answers:

(1) 他以前总希望当什么？

A. 老师　　B. 画家　　C. 经理

(2) 他学画画儿学多长时间了？

A. 三十年　　B. 十三四年　　C. 三四年

(3) 他画画儿画得怎么样？

A. 很好　　B. 真不好　　C. 不太好

2. 模仿完成会话　Complete the dialogue according to what you hear:

A：我以前__________，现在发现______。

B：要有______。你学画画儿__________？

A：__________。

B：__________就已经__________。你应该不断地努力，一定能__________。

A：真的？那我__________。

B：以后你当了______，别忘了我啊。

A：__________。

课　文　Text

一、判断正误　Determine whether the following statements are true or false:

1. 李秋和约翰正在图书馆。　　(　　)

2. 李秋来还书，约翰来借书。 ( )
3. 约翰会弹钢琴。 ( )
4. 约翰十五岁开始学画画儿。 ( )
5. 李秋哥哥的儿子打算学钢琴。 ( )
6. 约翰正准备教画画儿。 ( )
7. 李秋借了几本小说和一本油画选。 ( )
8. 下星期李秋打算跟陈卉去看油画展。 ( )

二、回答问题 Answer the questions:

1. 谁来借书？
2. 约翰那本书看了多长时间了？
3. 那是一本什么书？
4. 约翰为什么看得那么慢？
5. 约翰几岁开始学钢琴？
6. 谁正在找钢琴老师？

理解及听辨练习
Comprehension and Differentiation

一、听句子判断正误：
Listen and determine whether the following statements are true or false:

1. 他儿子五岁就开始学钢琴。 ( )
2. 他参加的是太极拳比赛。 ( )
3. 他的专业是英语。 ( )
4. 小李进步很快，因为他很聪明。 ( )
5. 我和他不认识。 ( )
6. 他的愿望是当画家。 ( )
7. 昨天我睡觉睡得很早，可是我今天早上醒得很晚。 ( )

二、听句子选择正确答案 Listen and choose the right answers:

1. 他儿子每天花多长时间学钢琴？
A. 三个小时　　B. 四个小时　　C. 三十分钟

2. 他今天要去做什么？

A. 去玩儿　　B. 参加重要比赛　　C. 参加考试

3. 他的汉语怎么样？

A. 进步得很快　　B. 进步得很慢　　C. 没有进步

4. 有机会,他想做什么？

A. 他想去日本工作　　B. 他想去日本学习　　C. 他想去日本旅行

5. 他妈妈希望他以后做什么？

A. 画画儿　　B. 唱歌　　C. 写小说

6. 老师的建议是什么？

A. 建议他学体育　　B. 建议他学艺术　　C. 建议他学英语

7. 下星期在中国美术馆有什么展览？

A. 电影展　　B. 中国画儿展　　C. 世界油画展

三、听后快速回答问题　Listen and answer the questions quickly:

1. 他听说什么？
2. 那位运动员有没有信心？
3. 为什么他看那本书看了两个多月？
4. 他女朋友的建议是什么？
5. 他希望做什么？
6. 他怎么样实现了自己的愿望？
7. 他为什么唱歌进步得很快？

第十七课 Lesson 17 你去过几次杭州

生 词 New Words

1. 周末	（名）	zhōumò	weekend
2. 郊区	（名）	jiāoqū	suburb
3. 所	（量）	suǒ	*measure word*
4. 环境	（名）	huánjìng	environment
5. 绿化	（动）	lǜhuà	to afforest
6. 树	（名）	shù	tree
7. 周围	（名）	zhōuwéi	surrounding
8. 草坪	（名）	cǎopíng	lawn
草	（名）	cǎo	grass
9. 剪	（动）	jiǎn	to cut
10. 次	（量）	cì	*measure word*
11. 邻居	（名）	línjū	neighbor
12. 老太太	（名）	lǎotàitai	old lady
13. 对	（介）	duì	toward
14. 微笑	（动）	wēixiào	to smile
笑	（动）	xiào	to laugh
15. 热情	（形）	rèqíng	warm-hearted
16. 打招呼		dǎ zhāohu	say hello to
17. 过	（助）	guò	*aspect particle*
18. 顺便	（副）	shùnbiàn	conveniently; in passing
19. 游览	（动）	yóulǎn	to go sightseeing
20. 值得	（动）	zhíde	to deserve
21. 旅游	（动）	lǚyóu	to tour
22. 遍	（量）	biàn	*measure word*
23. 些	（量）	xiē	some

24. 地方	（名）	dìfang	place
25. 陪	（动）	péi	to accompany
26. 园林	（名）	yuánlín	garden；park
27. 感觉	（动、名）	gǎnjué	to feel；feeling
28. 都	（副）	dōu	all
29. 国庆节	（名）	Guóqìng Jié	National Day
节	（名）	jié	festival
30. 安排	（动、名）	ānpái	to arrange；arrangement
31. 放假		fàng jià	to have a holiday
假	（名）	jià	holiday；leave of absence
32. 计划	（动、名）	jìhuà	to plan；plan
33. 空气	（名）	kōngqì	air
34. 名胜古迹		míngshèng gǔjì	place of historic interest and scenic beauty

专　名　Proper Noun

1. 长城	Chángchéng	the Great Wall
2. 十三陵	Shísānlíng	the Ming Tombs
3. 杭州	Hángzhōu	*a city of China*
4. 西湖	Xīhú	West Lake
5. 苏州	Sūzhōu	*a city of China*

听后模仿　Listen and Repeat

一、听词组，然后跟读　Listen to the phrases and repeat after them

二、听句子，然后跟读　Listen to the sentences and repeat after them

功能会话　Functional Dialogues

一、【介绍环境】（Talking about environment）

1. 判断正误　Determine whether the following statements are true or false:

（1）周末小李去朋友家了。　（　）

(2) 小李在郊区买了一所大房子。 (　　)

(3) 那个小区绿化得不错,可是房子周围没有草坪。 (　　)

(4) 朋友的邻居是一个老太太,对人很热情。 (　　)

2. 模仿完成会话　Complete the dialogue according to what you hear:

A:周末__________?

B:我去______。一个朋友__________,让我们去住两天。

A:那儿的环境怎么样?

B:非常好。那个小区________,树______。

A:周围________?

B:有,房子前边________,我还帮我朋友________。

A:那儿的邻居怎么样?

B:______。他的邻居是______,一见面就________,还______________。

二、【咨询】(Asking for advice)

1. 选择正确答案　Choose the right answers:

(1) 田中去过长城吗?

A. 去过一次　　B. 去过三四次　　C. 没去过

(2) 去长城可以顺便游览哪儿?

A. 十三陵　　B. 故宫　　C. 香山

(3) 田中告诉他的朋友可以怎么去长城?

A. 可以坐火车去　　B. 可以骑自行车去　　C. 可以坐出租车去

(4) 最后田中有什么建议?

A. 先去长城,再去十三陵

B. 先去十三陵,再去长城

C. 只去十三陵

2. 模仿完成会话　Complete the dialogue according to what you hear:

A:田中,________?

B:______。我______________。你呢?

A:还没有。我______________要去。

B:你可以顺便游览一下儿________,那儿也值得看。

A:怎么去呢?

B:你可以__________,__________。非常方便。

A：我想听听你的建议，我是先去________，还是先去________？

B：先去______，再去______。我有一本________________，我________，借你看看。

课　文　Text

一、判断正误　**Determine whether the following statements are true or false：**

1. 爱华和陈卉一起去上海玩儿了。 (　　)
2. 他们去看了陈卉的父母。 (　　)
3. 李秋去过苏州，没去过杭州。 (　　)
4. 李爱华特别喜欢苏州园林。 (　　)
5. 国庆节放假 7 天。 (　　)
6. 陈亮建议国庆节去杭州。 (　　)
7. 国庆节的事让陈亮安排。 (　　)

二、回答问题　**Answer the questions：**

1. 李爱华陪陈卉去看了谁？
2. 他们在南方游览了哪些地方？
3. 李秋去过杭州吗？
4. 李爱华打算什么时候再去一次杭州？
5. 国庆节放假几天？
6. 陈亮建议国庆节怎么过？
7. 李爱华建议住的地方要有什么？

理解及听辨练习
Comprehension and Differentiation

一、听句子判断正误：

Determine whether the following statements are true or false：

1. 他周末没在家。 (　　)
2. 那个小区绿化得不错。 (　　)
3. 我的邻居对我不太热情。 (　　)

4. 杭州和苏州你只能去一个地方。 (　　)

5. 这本书不错。 (　　)

6. 在郊区我有一所大房子,所以放假的时候我准备去住几天。(　　)

二、听句子选择正确答案 Listen and choose the right answers:

1. 哪儿绿化得不错?

A. 郊区　　B. 郊区周围　　C. 房子周围

2. 他为什么给他儿子钱?

A. 他儿子考试考得很好。

B. 他儿子要买东西。

C. 他儿子帮他剪草坪。

3. 他以前去过那个地方吗?

A. 去过　　B. 没去过　　C. 正准备去呢

4. 他陪谁游览了西湖?

A. 他爱人　　B. 他的父母　　C. 他爱人的父母

5. 他为什么来这儿?

A. 为了学习　　B. 为了看朋友　　C. 为了看名胜古迹

6. 学校每年放假几次?

A. 两次　　B. 一次　　C. 七次

三、听后快速回答问题 Listen and answer the questions quickly:

1. 周末他上班吗?
2. 学校周围的环境怎么样?
3. 他多长时间剪一次草?
4. 他们的邻居对他们热情吗?
5. 他去过故宫吗?
6. 国庆节放假几天?
7. 他为什么在郊区买房子?

第十八课　Lesson 18　他当爸爸了

生　词　New Words

1.	下班		xià bān	come off work
2.	空儿	（名）	kòngr	spare time
3.	巧	（形）	qiǎo	coincidental
4.	京剧	（名）	jīngjù	Peking opera
5.	出国		chū guó	to go abroad
6.	签证	（名）	qiānzhèng	visa
	签	（动）	qiān	to sign
7.	大概	（副）	dàgài	probably
8.	桌子	（名）	zhuōzi	table
9.	上	（名）	shàng	on
10.	封	（量）	fēng	*measure word*
11.	信	（名）	xìn	letter
12.	样子	（名）	yàngzi	appearance
13.	消息	（名）	xiāoxi	news
14.	女儿	（名）	nǚ'ér	daughter
15.	恭喜	（动）	gōngxǐ	to congratulate
16.	外公	（名）	wàigōng	grandfather
17.	粤菜	（名）	yuècài	Cantonese food
	粤	（名）	yuè	Canton
18.	海鲜	（名）	hǎixiān	seafood
19.	男孩		nán hái	boy
20.	女孩		nǚ hái	girl
21.	可爱	（形）	kě'ài	lovely
22.	长	（动）	zhǎng	to grow

23. 像	（动）	xiàng	to look like
24. 替	（介）	tì	for
25. 哟	（叹）	yō	*modal particle*
26. 越来越		yuèláiyuè	the more..., the more...
27. 打雷		dǎ léi	to thunder
28. 出门		chū mén	to go out
29. 喂	（叹）	wèi	hello
30. 剧院	（名）	jùyuàn	theater
31. 戏	（名）	xì	play
32. 改	（动）	gǎi	to change
33. 作	（动）	zuò	to be
34. 代表	（名）	dàibiǎo	representative
35. 表示	（动、名）	biǎoshì	to express; expression

听后模仿 Listen and Repeat

一、听词组，然后跟读 Listen to the phrases and repeat after them

二、听句子，然后跟读 Listen to the sentences and repeat after them

功能会话 Functional Dialogues

一、【婉拒】(Polite refusal)

1. 判断正误 Determine whether the following statements are true or false:

（1）小李下班以后要跟朋友去吃饭。 (　　)

（2）经理出国的签证签了。 (　　)

（3）下星期三经理要请小李看京剧。 (　　)

2. 模仿完成会话 Complete the dialogue according to what you hear:

A：小李，下班以后______?

B：真不巧，我要跟朋友______。经理，有什么事吗？

A：我想______，我出国________。

B：祝贺你！什么时候走？

A：__________。

B：走以前找个时间吧。

A：______，怎么样？

B：明天__________。

二、【庆贺】(Congratulation)

1. 回答问题 Answer the questions:

(1) 桌子上的信是谁的？

(2) 老李今天为什么很高兴？

(3) 他女儿生了个男孩还是女孩？

(4) 下班以后他请大家去哪儿？

2. 模仿完成会话 Complete the dialogue according to what you hear:

A：老李，桌子上________。

B：谢谢！

A：看你高兴的样子，一定__________。

B：我女儿______，__________。

A：恭喜！恭喜你______，也恭喜你女儿______。

B：下班以后我________，都要来啊。

A：太好了！我们去______。

B：不，我请______。地方，你们选。

课 文 Text

一、判断正误 Determine whether the following statements are true or false:

1. 赵经理当爸爸了。 (　　)
2. 他爱人生了一个女儿。 (　　)
3. 孩子长得像妈妈。 (　　)
4. 赵经理下班以后请李秋、爱华和陈卉吃饭。 (　　)
5. 因为要下大雨，李秋不能去吃饭。 (　　)

二、回答问题 Answer the questions:

1. 赵经理的爱人生了个儿子还是女儿？
2. 他准备怎么庆贺？

3. 现在天气怎么样？
4. 赵经理要开车去接谁？
5. 李秋晚上能去吗？
6. 李秋让谁作代表？

理解及听辨练习
Comprehension and Differentiation

一、听句子判断正误：
Listen and determine whether the following statements are true or false:

1. 上班的时候我们去看赵经理。 （ ）
2. 他要去国外旅游。 （ ）
3. 他要去日本。 （ ）
4. 京剧票在桌子上。 （ ）
5. 我要告诉你两个好消息。 （ ）
6. 女儿长得像爸爸，也像妈妈。 （ ）

二、听句子选择正确答案 Listen and choose the right answers:

1. 他们公司几点下班？
   A. 8:30　　B. 5:30　　C. 6:00
2. 天气怎么样？
   A. 雨越下越大　　B. 天越来越阴　　C. 天晴了
3. 在哪儿要多穿点儿衣服？
   A. 在家里　　B. 在车上　　C. 在外边
4. 谁喜欢女孩？
   A. 他喜欢女孩　　B. 他爱人喜欢女孩　　C. 他和爱人都喜欢女孩
5. 他们家谁去参加婚礼了？
   A. 爸爸　　B. 妈妈　　C. 儿子
6. 他多长时间给家里写一封信？
   A. 一个星期　　B. 一个月　　C. 每天

三、听后快速回答问题 Listen and answer the questions quickly:

1. 他什么时候有空儿?
2. 他们今天晚上能去看房子吗?
3. 他出国的签证签了吗?
4. 一会儿会下雨吗?
5. 他喜欢吃广东菜吗?
6. 他要学什么?
7. 什么改时间了?

第十九课 Lesson 19 您带着眼镜呢

生 词 New Words

1. 旅行社	（名）	lǚxíngshè	travel agency
2. 儿童	（名）	értóng	child
3. 免费		miǎn fèi	free of charge
4. 以上	（名）	yǐshàng	above
5. 以下	（名）	yǐxià	under
6. 半价	（名）	bànjià	half price
价	（名）	jià	price
7. 联系	（动、名）	liánxì	to contact; contact
8. 取	（动）	qǔ	to fetch
9. 取消	（动）	qǔxiāo	to cancel
10. 少数	（名）	shǎoshù	minority
11. 民族	（名）	mínzú	nationality
12. 文艺	（名）	wényì	literature and art
13. 节目	（名）	jiémù	program
14. 表演	（动、名）	biǎoyǎn	to perform; performance
15. 推	（动）	tuī	to push
16. 辆	（量）	liàng	*measure word*
17. 躺	（动）	tǎng	to lie
18. 着	（助）	zhe	*aspect particle*
19. 车厢	（名）	chēxiāng	railway carriage
20. 眼镜	（名）	yǎnjìng	eyeglasses
21. 戴	（动）	dài	to wear
22. 副	（量）	fù	*measure word*
23. 近视	（名）	jìnshì	near-sighted

24.	远处	（名）	yuǎnchù	faraway place
25.	近处	（名）	jìnchù	nearby place
26.	老花镜	（名）	lǎohuājìng	presbyopic glasses
27.	铺	（名）	pù	berth
28.	需要	（动）	xūyào	to need
29.	岁数	（名）	suìshu	age
30.	不好意思		bù hǎoyìsi	embarrassed
31.	哪里	（代）	nǎli	where; it's nothing
32.	过分	（形）	guòfèn	excessive
33.	开玩笑		kāi wánxiào	crack a joke
34.	老	（形）	lǎo	old
35.	年轻	（形）	niánqīng	young
36.	福气	（名）	fúqi	good fortune

专 名 Proper Noun

1.	昆明	Kūnmíng	*a city of China*
2.	中华民族园	Zhōnghuá Mínzúyuán	the Chinese Ethnic Park

听后模仿 Listen and Repeat

一、听词组,然后跟读 Listen to the phrases and repeat after them

二、听句子,然后跟读 Listen to the sentences and repeat after them

功能会话 Functional Dialogues

一、【电话订票】(Booking tickets through phone calls)

1. 判断正误 Determine whether the following statements are true or false:

(1) 他想订两张去昆明的火车票。 ( )

(2) 儿童不要票。 ( )

(3) 他想订 28 号的票。 ( )

(4) 26 号以前一定得取票。 ( )

2. 模仿完成会话　Complete the dialogue according to what you hear:

A：旅行社吗？我想________。多少钱一张？

B：900 块。

A：儿童票多少钱？有________？我儿子今年______。

B：没有免费票。3 岁以上，12 岁以下是______。您要订哪天的？

A：我想订______。

B：请把你们的__________，还有________。

A：什么时候能取票？

B：请在________，______还不取，我们会__________。

二、【建议 2】（Making suggestions 2）

1. 回答问题　Answer the questions:

（1）他建议小王周末去哪儿？

（2）他为什么这样建议？

（3）小王要带谁一起去？

（4）他建议小王怎么去？为什么？

2. 模仿完成会话　Complete the dialogue according to what you hear:

A：小王，________？

B：还不知道呢。

A：我建议你________。那儿有______________，很有意思。

B：是吗？我带______。

A：带______？他还那么小。

B：没关系。我______，让他______。

A：你们最好______，别______。周末______，可能______。

B：谢谢你的建议。

课　文　Text

一、判断正误　Determine whether the following statements are true or false:

1. 李秋的爸爸看远处时，戴近视镜，看近处时，戴老花镜。　（　）
2. 李秋他们的车票是第十二车厢。　（　）
3. 李秋他们的票有两个上铺，两个下铺。　（　）
4. 李爱华的妈妈身体不好。　（　）

5. 去昆明要坐二十几个小时的火车。 （ ）

6. 17号下铺是一个男青年。 （ ）

二、回答问题 Answer the questions:

1. 李爱华和李秋一家要去哪儿？
2. 他们的票是第几车厢的？
3. 他们有几个上铺的票？
4. 谁的岁数大了，上下不太方便？
5. 那个男青年怎么帮助李秋一家？
6. 男青年为什么说李秋的爸爸真有福气？

理解及听辨练习
Comprehension and Differentiation

一、听句子判断正误：

Listen and determine whether the following statements are true or false:

1. 儿童坐飞机都免费。 （ ）
2. 我们可以用电子邮件和电话联系。 （ ）
3. 26号以前他已经取了票了，旅行社不会取消他的座位的。 （ ）
4. 国庆节去中华民族园，门票不要钱。 （ ）
5. 他戴眼镜。 （ ）
6. 他喜欢开玩笑。 （ ）

二、听句子选择正确答案 Listen and choose the right answers:

1. 旅行社安排看什么？

   A. 体育比赛　B. 文艺节目表演　C. 电影

2. 看远处得戴什么眼镜？

   A. 老花镜　B. 近视镜　C. 不用戴眼镜

3. 从哪儿坐车去体育馆需要一个半小时？

   A. 图书馆　B. 学校　C. 医院

4. 为什么取消比赛？

   A. 因为裁判员没来　B. 因为下雨　C. 因为堵车

5. 国庆节去中华民族园儿童要买票吗?

A. 不用买　　B. 要买,是半价　　C. 要买,跟大人的票价一样

6. 他去找赵经理的时候,赵经理正做什么呢?

A. 听音乐呢　　B. 带着儿子玩儿呢　　C. 锻炼身体呢

三、听后快速回答问题　Listen and answer the questions quickly:

1. 他常常怎么去旅游?
2. 儿童坐飞机花钱吗?
3. 他为什么睡下铺?
4. 小李怎么了?
5. 他给王老师什么?
6. 他常跟谁开玩笑?
7. 他叔叔看书戴什么眼镜?

第二十课　Lesson 20　我更喜欢中国画儿

生　词　New Words

1.	公园	（名）	gōngyuán	park
2.	划	（动）	huá	to row
3.	船	（名）	chuán	boat
4.	不过	（连）	búguò	but
5.	动物园	（名）	dòngwùyuán	zoo
6.	海洋	（名）	hǎiyáng	ocean
7.	同意	（动）	tóngyì	to agree
8.	优惠	（形）	yōuhuì	favourable; preferential
9.	科技	（名）	kējì	science and technology
	科学	（名）	kēxué	science
	技术	（名）	jìshù	technology
10.	现代	（名）	xiàndài	modern
11.	幅	（量）	fú	*measure word*
12.	风景	（名）	fēngjǐng	landscape
13.	比	（介、动）	bǐ	than; to compare
14.	刚才	（名）	gāngcái	just now
15.	价钱	（名）	jiàqian	price
16.	安静	（形）	ānjìng	quiet
17.	仔细	（形）	zǐxì	careful
18.	欣赏	（动）	xīnshǎng	to appreciate
19.	这些	（代）	zhèxiē	these
20.	平时	（名）	píngshí	usually
21.	爱	（动）	ài	to love, to like
22.	美术	（名）	měishù	fine arts

23. 尤其	（副）	yóuqí	especially
24. 文化	（名）	wénhuà	culture
25. 兴趣	（名）	xìngqù	interest
26. 理想	（名）	lǐxiǎng	ideal
27. 律师	（名）	lǜshī	lawyer
28. 或者	（连）	huòzhě	or
29. 医生	（名）	yīshēng	doctor
30. 决定	（动、名）	juédìng	to decide; decision
31. 研究	（动、名）	yánjiū	to research; research
32. 其实	（副）	qíshí	in fact
33. 特点	（名）	tèdiǎn	characteristic
34. 那么	（代）	nàme	then
35. 付	（动）	fù	to pay
36. 街	（名）	jiē	street
37. 字画	（名）	zìhuà	calligraphy and painting

专　名　Proper Noun

北海　　Běihǎi　　*a park in Beijing*

听后模仿　Listen and Repeat

一、听词组，然后跟读　Listen to the phrases and repeat after them

二、听句子，然后跟读　Listen to the sentences and repeat after them

功能会话　Functional Dialogues

一、【同意与反对】(Agreement and disagreement)

1. 判断正误　Determine whether the following statements are true or false:

（1）今天阴天，去北海公园划船很合适。　（　）

（2）动物园有一个海洋馆。　（　）

（3）海洋馆的门票在“五一”节时也不优惠。　（　）

(4) 6岁以下的孩子去海洋馆免费。 (　　)

(5) 他们最后都同意去科技馆,因为门票便宜。 (　　)

2. 模仿完成会话　Complete the dialogue according to what you hear:

A：今天去__________,怎么样？

B：好啊。不过______,划船______。去动物园吧,那儿有_________。

A：我不同意。那儿的门票______,______一张,咱们三个人得240块。

B：现在是"五一"节,听说______。6岁以下的孩子______,6岁以上、12岁以下的______。

A：还是______。6岁以下的孩子__________。

B：不可能______。那去科技馆,怎么样？那儿有_________。门票______。

A：行啊。我______。

二、【评价2】(Making an assessment 2)

1. 回答问题　Answer the questions:

(1) 这幅风景画比刚才那幅怎么样？

(2) 哪幅画儿比较贵？

(3) 哪幅画儿画得好？

(4) 最后他买了哪幅画儿？

2. 模仿完成会话　Complete the dialogue according to what you hear:

A：你觉得__________？

B：不错。比__________。

A：我也__________,不过__________。

B：刚才那幅__________,可是__________。

A：你说,我__________？

B：买__________,这个画家也比__________。

课　文　Text

一、判断正误　Determine whether the following statements are true or false:

1. 李秋和约翰去的地方很安静。 (　　)

2. 那个地方周末人多,平时人少。 (　　)

3. 中国美术馆一有油画展约翰就去看。 ( )

4. 李秋觉得约翰对中国文化很有兴趣。 ( )

5. 约翰上大学以后的理想是当律师。 ( )

6. 李秋觉得那两幅风景画都很贵。 ( )

7. 约翰打算买那幅便宜的。 ( )

二、回答问题 **Answer the questions:**

1. 李秋爱看美术展览吗?
2. 谁更喜欢中国画儿?
3. 约翰小时候的理想是什么?
4. 他为什么来中国学习汉语?
5. 李秋比较喜欢哪幅?
6. 李秋一会儿带约翰去哪儿?

理解及听辨练习
Comprehension and Differentiation

一、听句子判断正误:

Listen and determine whether the following statements are true or false:

1. 下个周末他要带儿子去北海公园划船。 ( )
2. 他不同意去科技馆,因为那儿的门票太贵。 ( )
3. 油画儿画得更好。 ( )
4. 她喜欢出门。 ( )
5. 他爱看世界油画儿展。 ( )
6. 他的理想是当老师或者医生。 ( )

二、听句子选择正确答案 **Listen and choose the right answers:**

1. 他为什么来中国学汉语?

   A. 他要来中国工作　B. 他要来中国旅游　C. 他对中国文化有兴趣

2. 哪幅画儿贵?

   A. 第一幅　B. 第二幅　C. 第三幅

3. 他喜欢哪个公园?

A. 大公园　　B. 小公园　　C. 新公园

4. 他买哪幅字画了?

A. 两幅都买了　　B. 还没决定呢　　C. 两幅都没买

5. 中国科技馆有什么展览?

A. 现代油画展　　B. 现代艺术展　　C. 现代科技展

6. 谁的汉字写得好?

A. 他写得比我好　　B. 我写得比他好　　C. 都不好

7. 他为什么不喜欢周末去商店?

A. 周末商店人太多

B. 周末他没有时间去商店

C. 周末商店的东西比平时贵

三、听后快速回答问题　Listen and answer the questions quickly:

1. 什么时候机票有优惠?
2. 今天为什么能仔细欣赏?
3. 他平时几点起床?
4. 他有什么理想?
5. 他对什么有研究?
6. 他建议今天去哪儿?
7. 哪儿比较安静?

第二十一课 Lesson 21 香港给我的印象不错

生 词 New Words

1.	生意	（名）	shēngyi	business
2.	玩具	（名）	wánjù	toy
3.	差	（形）	chà	poor
4.	市场	（名）	shìchǎng	market
5.	竞争	（动、名）	jìngzhēng	to compete; competition
6.	激烈	（形）	jīliè	intense
7.	房地产		fángdìchǎn	real estate
8.	唉	（叹）	ài	alas
9.	印象	（名）	yìnxiàng	impression
10.	城市	（名）	chéngshì	city
11.	干净	（形）	gānjìng	clean
12.	建筑	（名）	jiànzhù	building
13.	人口	（名）	rénkǒu	population
14.	拥挤	（形）	yōngjǐ	crowded
15.	暑假	（名）	shǔjià	summer vacation
16.	答应	（动）	dāying	to promise
17.	传统	（名）	chuántǒng	tradition
18.	活动	（名）	huódòng	activity
19.	热闹	（形）	rènao	lively; bustling
20.	比如	（动）	bǐrú	for example
21.	马	（名）	mǎ	horse
22.	摔跤		shuāi jiāo	wrestle
23.	等	（助）	děng	and so on; etc.
24.	春节	（名）	Chūn Jié	the Spring Festival

25. 方面	（名）	fāngmiàn	side, respect
26. 差不多	（形）	chàbuduō	about the same
27. …分之…		…fēnzhī…	*used in fractions and percentages*
28. 饮食	（名）	yǐnshí	food and drink; diet
29. 早茶	（名）	zǎochá	morning tea
30. 丰富	（形）	fēngfù	rich; plentiful
31. 话	（名）	huà	language; speech
32. 懂	（动）	dǒng	to understand
33. 担心		dān xīn	worry
34. 普通话	（名）	pǔtōnghuà	Chinese common speech
普通	（形）	pǔtōng	common
35. 放心		fàng xīn	to set one's mind at rest

专　名　Proper Noun

1. 香港	Xiānggǎng	Hong Kong
2. 桂林	Guìlín	*a city of China*
3. 内蒙古	Nèiměnggǔ	Inner Mongolia
4. 欧洲	Ōuzhōu	Europe
5. 广东	Guǎngdōng	*a province of China*

听后模仿　Listen and Repeat

一、听词组，然后跟读　Listen to the phrases and repeat after them

二、听句子，然后跟读　Listen to the sentences and repeat after them

功能会话　Functional Dialogues

一、【表示慨叹】(Signing with emotion)

1. 回答问题　Answer the questions:

(1) 他们两个人的公司卖什么？

(2) 生意为什么越来越难做?

(3) 房地产公司今年卖了多少套房子?

2. 模仿完成会话　Complete the dialogue according to what you hear:

A: 你们公司______?

B: 我是______。

A: 你们公司的______?

B: 卖得______,现在市场______。

A: 我们公司______,生意也______。

B: 你们公司做什么生意?

A: 我是______。我们今年______。

B: 唉,生意真是______。

二、【谈印象】(Talking about impressions)

1. 选择正确答案　Coose the right answers:

(1) 他对香港的印象怎么样?

A. 不好　　B. 不错　　C. 很差

(2) 香港的建筑怎么样?

A. 难看　　B. 漂亮　　C. 很干净

(3) 香港最贵的东西是什么?

A. 吃饭　　B. 衣服　　C. 房子

(4) 香港的人口比北京多吗?

A. 比北京多　　B. 没有北京多　　C. 跟北京一样多

2. 模仿完成会话　Complete the dialogue according to what you hear:

A: 香港给你的______?

B: ______。城市______,建筑______。

A: 香港的东西______?

B: 太贵了! ______。

A: 吃、穿、用都比北京贵吗?

B: ______,最贵的是______。

A: 香港的人口______?

B: ______,不过香港地方小,______。

课　文　Text

一、判断正误　Determine whether the following statements are true or false:

1. 约翰暑假要去香港。　(　)
2. 李爱华和陈卉要去桂林。　(　)
3. 陈卉也放暑假。　(　)
4. 7月在内蒙古有一个传统活动。　(　)
5. 赵经理7月要去欧洲旅行。　(　)
6. 李爱华去年春节去过香港。　(　)

二、回答问题　Answer the questions:

1. 香港的东西贵还是北京的贵？
2. 香港的人口比北京多吗？
3. 香港人的饮食习惯跟什么地方的人一样？
4. 香港的早茶怎么样？
5. 香港人都说普通话吗？

理解及听辨练习
Comprehension and Differentiation

一、听句子判断正误：

Listen and determine whether the following statements are true or false:

1. 他们公司卖房子。　(　)
2. 现在的生意越来越难做。　(　)
3. 那个城市又干净又漂亮。　(　)
4. 今天车上人不多。　(　)
5. 他答应暑假带儿子去旅行。　(　)
6. 国庆节有很多传统活动。　(　)
7. 香港的人口多。　(　)
8. 他们公司的职员都会说英语。　(　)

二、听句子选择正确答案 Listen and choose the right answers:

1. 他们的生意怎么样？

A. 越做越差　　B. 越做越小　　C. 越做越大

2. 他为什么明年还来中国？

A. 他对中国文化有兴趣　　B. 他喜欢中文　　C. 他喜欢中国

3. 他答应他爱人什么？

A. 陪她吃早茶　　B. 陪她去国外旅游　　C. 陪她出国工作

4. 他租的房子怎么样？

A. 又贵又小　　B. 又大又便宜　　C. 又干净又便宜

5. 中国人的什么方面跟外国人不一样？

A. 吃的方面　　B. 穿的方面　　C. 住的方面

6. 他担心什么？

A. 担心走得太快了　　B. 担心太晚了　　C. 担心没有车了

三、听后快速回答问题 Listen and answer the questions quickly:

1. 为什么生意越来越难做了？
2. 哪儿很拥挤？
3. 他每年都有假吗？
4. 他担心什么？
5. 他们周末的活动多吗？
6. 香港人都说普通话吗？

第二十二课 Lesson 22 我把电脑弄坏了

生词 New Words

1. 销售	（动）	xiāoshòu	to sell
2. 修改	（动）	xiūgǎi	to revise
3. 完	（动）	wán	to finish
4. 电脑	（名）	diànnǎo	computer
5. 弄	（动）	nòng	to make
6. 修	（动）	xiū	to repair
7. 正在	（副）	zhèngzài	in process of
8. 资料	（名）	zīliào	data
9. 查	（动）	chá	to check
10. 恐怕	（副）	kǒngpà	*indicating an estimation*
11. 拖延	（动）	tuōyán	to procrastinate
12. 后天	（名）	hòutiān	day after tomorrow
13. 总算	（副）	zǒngsuàn	at last; finally
14. 站台	（名）	zhàntái	platform
15. 列车	（名）	lièchē	train
16. 所有	（形）	suǒyǒu	all
17. 因为	（连）	yīnwèi	because
18. 顺利	（形）	shùnlì	smooth
19. 箱子	（名）	xiāngzi	box
20. 拿	（动）	ná	to carry; to take
21. 沉	（形）	chén	heavy
22. 加班		jiā bān	to work overtime
23. 早	（形）	zǎo	early
24. 故意	（形）	gùyì	deliberate
25. 开会		kāi huì	to hold a meeting

26. 讨论 （动） tǎolùn to discuss
27. 笔记本 （名） bǐjìběn notebook
28. 另外 （连） lìngwài moreover; besides
另 （形） lìng other
29. 一些 （量） yìxiē some
30. 客户 （名） kèhù client
31. 备份 （名） bèifèn back-up
32. 记 （动） jì to remember
33. 住 （动） zhù *used as a verb or the complement of a verb*
34. 办公室 （名） bàngōngshì office
35. 提醒 （动） tíxǐng to remind
36. 也许 （副） yěxǔ maybe

听后模仿 Listen and Repeat

一、听词组，然后跟读 Listen to the phrases and repeat after them
二、听句子，然后跟读 Listen to the sentences and repeat after them

功能会话 Functional Dialogues

一、【延误】(Delay)

1. 判断正误 Determine whether the following statements are true or false:

(1) 电脑坏了，下个月的销售计划还没修改好呢。 ( )
(2) 电脑可能后天修好。 ( )
(3) 电脑里有很多重要的资料。 ( )
(4) 销售计划下午一定要修改好。 ( )

2. 模仿完成会话 Complete the dialogue according to what you hear:

A：下个月的________。
B：对不起，________。刚才我________。
A：今天能修好吗？
B：现在________，可能要________。
A：你用我的电脑吧，这样________。

B：不行。我的电脑里________，我得查。
A：你什么时候________？
B：恐怕得________，后天________。

二、【接人】（Receiving people）

1. 选择正确答案　Choose the right answers：

（1）老王在哪儿接人？

A. 火车站　　B. 飞机场　　C. 汽车站

（2）老王为什么来晚了？

A. 有事　　B. 车上很拥挤　　C. 路上堵车

（3）箱子沉不沉？

A. 很沉　　B. 不沉　　C. 太沉了

2. 模仿完成会话　Complete the dialogue according to what you hear：

A：老王，你________。我正准备________。
B：你怎么在这儿等啊？我在________，都没找到你。
A：列车一到，我________，可是________，你还没来，我才到________。
B：真对不起。因为________，所以________。
A：没关系。我们走吧。
B：路上________？
A：还好，________。
B：你把箱子给我，我帮你拿。
A：不用了，________。

课　文　Text

一、判断正误　Determine whether the following statements are true or false：

1. 爱华今天晚上想跟陈卉去看电影。（　）
2. 陈卉晚上要在公司加班。（　）
3. 今天是星期五。（　）
4. 赵经理今天就要下个月的销售计划。（　）
5. 陈卉没给客户资料做备份。（　）
6. 陈卉加完班，爱华要带她去吃饭。（　）

二、回答问题 Answer the questions

1. 陈卉晚上为什么要加班？
2. 现在几点了？
3. 什么时候要讨论这份销售计划？
4. 陈卉的电脑里有什么资料？
5. 现在给资料做备份还来得及吗？

理解及听辨练习
Comprehension and Differentiation

一、听句子判断正误：

Listen and determine whether the following statements are true or false:

1. 我把电脑弄坏了，销售计划不能修改了。 ( )
2. 他正在上网呢。 ( )
3. 这份计划恐怕得拖延两天给你了。 ( )
4. 我在站台上没等很长时间。 ( )
5. 最近他的工作很忙。 ( )
6. 老师提醒学生下星期没有考试。 ( )

二、听句子选择正确答案 Listen and choose the right answers

1. 什么时候讨论销售计划？

   A. 下星期五　　B. 这星期三　　C. 这星期五

2. 他在电脑里的资料为什么都弄丢了？

   A. 因为他把电脑卖了

   B. 因为他没给资料做备份

   C. 因为他把资料借给别人了

3. 箱子里有什么？

   A. 笔记本　　B. 资料　　C. 笔记本电脑

4. 他告诉我他的手机号了吗？

   A. 他告诉我他家的电话了

   B. 告诉我了，可是我忘了

   C. 他没告诉我

5. 他把朋友的自行车怎么了？

A. 弄坏了　　B. 弄丢了　　C. 车钥匙弄丢了

6. 医生提醒他什么？

A. 多吃饭　　B. 多锻炼　　C. 多休息

三、听后快速回答问题 Listen and answer the questions quickly

1. 这件事得拖延多长时间？
2. 他路上顺利吗？
3. 查资料一定要去图书馆吗？
4. 他晚上还要工作吗？
5. 他让李小姐提醒他什么？
6. 他要把什么给赵经理？

第二十三课 Lesson 23 你最近在忙什么呢

生 词 New Words

1. 帮忙		bāng máng	to help
2. 收	（动）	shōu	to receive
3. 麻烦	（动、形）	máfan	to trouble; troublesome
4. 翻译	（动、名）	fānyì	to translate; translation
5. 成	（动）	chéng	to become
6. 谈判	（动）	tánpàn	to negotiate
7. 马上	（副）	mǎshàng	at once
8. 打印	（动）	dǎyìn	to print
9. 感谢	（动）	gǎnxiè	to thank
10. 家教	（名）	jiājiào	private teacher
11. 家庭	（名）	jiātíng	family; household
12. 教师	（名）	jiàoshī	teacher
13. 数学	（名）	shùxué	mathematics
14. 分钟	（名）	fēnzhōng	minute
15. 左右	（名）	zuǒyòu	or so
16. 站	（量）	zhàn	stop
17. 关于	（介）	guānyú	about
18. 经济	（名）	jīngjì	economy
19. 发展	（动、名）	fāzhǎn	to develop; development
20. 演讲	（动）	yǎnjiǎng	to lecture
21. 书法	（名）	shūfǎ	calligraphy
22. 绘画	（名）	huìhuà	painting
23. 讲座	（名）	jiǎngzuò	lecture
24. 久	（形）	jiǔ	long
25. 合资	（名）	hézī	joint capital

26. 培训 （动） péixùn to train
27. 打工 dǎ gōng to work part-time
28. 赚 （动） zhuàn to earn
29. 增加 （动） zēngjiā to increase
30. 社会 （名） shèhuì society
31. 了解 （动） liǎojiě to understand
32. 轻松 （形） qīngsōng light
33. 报酬 （名） bàochou payment
34. 满意 （形） mǎnyì satisfied
35. 年级 （名） niánjí grade
36. 初中 （名） chūzhōng junior middle school
37. 高中 （名） gāozhōng senior middle school

听后模仿 Listen and Repeat

一、听词组，然后跟读 Listen to the phrases and repeat after them
二、听句子，然后跟读 Listen to the sentences and repeat after them

功能会话 Functional Dialogues

一、【寻求帮助 1】(Asking for help 1)

1. 判断正误 Determine whether the following statements are true or false:

（1）赵经理请小王帮忙。 （ ）
（2）小王不懂英语。 （ ）
（3）赵经理马上要去谈判。 （ ）
（4）小王的电脑上网了，赵经理的电脑还没上网呢。 （ ）

2. 模仿完成会话 Complete the dialogue according to what you hear:

A：赵经理，你现在______？我想______。
B：______，小王？
A：昨天我______，看不懂。麻烦你______，行吗？
B：没问题。可是__________，下午______。
A：好吧。你的电脑________？要不要我______？

B：不用。我的________，下午________。

A：太________！

B：不________！

二、【介绍工作】(Introducing a job)

1. 回答问题　Answer the questions:

(1) 小张当过家教吗？

(2) 谁要请家教？

(3) 那个孩子要学什么？

(4) 骑车去那个孩子家要多长时间？

(5) 一个星期去几次？

2. 模仿完成会话　Complete the dialogue according to what you hear:

A：小张，你________？

B：没有，不过________。

A：我有一个朋友，她__________，教________。你有兴趣吗？

B：好啊。他们家________？

A：不太远。骑车________，坐公共汽车________。

B：一个星期几次啊？

A：________。

B：那你帮我________。

课　文　Text

一、判断正误　Determine whether the following statements are true or false:

1. 约翰对中国经济很有兴趣。　(　)
2. 下星期有一个中国书法和绘画讲座。　(　)
3. 约翰在一个公司学汉语。　(　)
4. 约翰觉得他的工作很轻松，可是报酬很低。　(　)
5. 约翰没有时间再做一份工作了。　(　)
6. 李秋给约翰介绍了一个当家教的工作。　(　)
7. 李秋的朋友家离学校很远。　(　)
8. 约翰对当家教没有兴趣。　(　)

二、回答问题 Answer the questions

1. 谁要去听关于中国经济发展的演讲?
2. 下星期有什么讲座?
3. 约翰最近在忙什么呢?
4. 约翰为什么要工作?
5. 李秋朋友的儿子上几年级了?
6. 李秋朋友的家住在哪儿?

理解及听辨练习
Comprehension and Differentiation

一、听句子判断正误:
Determine whether the following statements are true or false:

1. 昨天他收到朋友的一封信。 ( )
2. 麻烦你帮我把这封电子邮件翻译成汉语。 ( )
3. 有一个谈判,张经理马上要去参加。 ( )
4. 他每天去当家教,教音乐。 ( )
5. 从我们家坐车去他们家需要 15 分钟左右。 ( )
6. 那个工作不轻松,报酬还不错。 ( )
7. 他儿子今年是初中生。 ( )

二、听句子选择正确答案 Listen and choose the right answers:

1. 他每个月的报酬怎么样?

   A. 不错　　B. 不好　　C. 不高

2. 他有几个工作?

   A. 一个　　B. 两个　　C. 三个

3. 他对什么有兴趣?

   A. 中国音乐　　B. 中国文化　　C. 书法、绘画

4. 星期五晚上有什么讲座?

   A. 科技发展讲座　　B. 社会发展讲座　　C. 经济发展讲座

5. 他对什么不满意?

   A. 房子　　B. 房子周围的环境　　C. 周围的邻居

6. 他们为什么互相不了解？

A. 他们才认识不久　　B. 他们不认识　　C. 他们没聊过天

三、听后快速回答问题　Listen and answer the questions quickly:

1. 他做什么工作？
2. 谈判谈了多长时间了？
3. 他让小王打印什么？
4. 他在培训部工作的时间长不长？
5. 他用什么钱给女儿买了自行车？
6. 明天就要考试了，他还有问题没弄清楚吗？

第二十四课 Lesson 24
你还记得你的航班号吗

生词 New Words

1. 同志	（名）	tóngzhì	comrade
2. 司机	（名）	sījī	driver
3. 客人	（名）	kèrén	guest
4. 记得	（动）	jìde	to remember
5. 小伙子	（名）	xiǎohuǒzi	young man
6. 个子	（名）	gèzi	height; build
7. 口音	（名）	kǒuyīn	accent
8. 好像	（动）	hǎoxiàng	to look like
9. 爷爷	（名）	yéye	grandfather
10. 孙子	（名）	sūnzi	grandson
11. 扶	（动）	fú	to support with the hand
12. 急诊室	（名）	jízhěnshì	emergency room
13. 存折	（名）	cúnzhé	bankbook
14. 现金	（名）	xiànjīn	cash
15. 烟	（名）	yān	cigarette
16. 抽	（动）	chōu	to smoke
17. 只能	（副）	zhǐnéng	can only
18. 够	（形、动）	gòu	enough; to suffice
19. 洗澡		xǐ zǎo	to have a bath
20. 全	（副）	quán	all
21. 请客		qǐng kè	to stand treat
22. 洗	（动）	xǐ	to wash
23. 袋子	（名）	dàizi	bag
24. 糟糕	（形）	zāogāo	too bad

25. 它	（代）	tā	it
26. 冲	（动）	chōng	to develop
27. 胶卷儿	（名）	jiāojuǎnr	film
28. 土特产		tǔtèchǎn	local speciality
29. 贵重	（形）	guìzhòng	valuable
30. 相机	（名）	xiàngjī	camera
31. 可惜	（形）	kěxī	pity
32. 办法	（名）	bànfǎ	way
33. 航班	（名）	hángbān	flight
34. 国际	（名）	guójì	international
35. 航空	（名）	hángkōng	aviation
36. 通知	（动、名）	tōngzhī	to notice; notice

专　名　Proper Noun

海南　　Hǎinán　　*a province of China*

听后模仿　Listen and Repeat

一、听词组，然后跟读　Listen to the phrases and repeat after them

二、听句子，然后跟读　Listen to the sentences and repeat after them

功能会话　Functional Dialogues

一、【寻找失主】（Looking for the owner of the lost property）

1. 选择正确答案　Choose the right answers:

（1）谁把包丢在车上了？

A. 一位小姐　　B. 一位经理　　C. 一位小伙子

（2）有几个人坐出租车？

A. 一位老先生和一个年轻小伙子

B. 两个小伙子

C. 两位老先生

(3) 他们在哪儿下了车？

A. 学校　　B. 银行　　C. 医院

(4) 小伙子可能是哪儿的人？

A. 北方人　　B. 南方人　　C. 外国人

(5) 包里有多少钱？

A. 50 块钱　　B. 500 块钱　　C. 5000 块钱

2. 模仿完成会话　Complete the dialogue according to what you hear:

A: 警察同志，我是________。一位客人________。

B: 你还记得______________？

A: 是一个________。个子大概有________，戴________，说话________。

B: 他一个人坐车吗？

A: 跟他一起坐车的________________，他们好像________。

B: 他们在哪儿下车了？

A: 他们在____________，小伙子____________。

B: 包里____________？

A: 有________，还有____________。我想他们________。

B: 放心吧，我们____________。

二、【过海关】(Going through the customs)

1. 判断正误　Determine whether the following statements are true or false:

(1) 他带了两条烟。　　(　　)

(2) 他只能带一瓶酒。　　(　　)

2. 模仿完成会话　Complete the dialogue according to what you hear:

A: 请把您的________。这是什么？

B: 是________。

A: 您____________？

B: ________。因为____________，所以________。

A: 您只能带________。那是什么？

B: ________。

A: 您只能________。

B: 对，我________，____________。

课 文 Text

一、判断正误 Determine whether the following statements are true or false:

1. 李秋要请全家人去吃饭。 ( )
2. 李爱华不久前去海南玩儿了。 ( )
3. 李爱华在海南照了很多照片。 ( )
4. 李爱华照的胶卷儿都没冲好呢。 ( )
5. 李爱华把大包忘在飞机上了。 ( )
6. 李爱华买了一些海南土特产,准备送人。 ( )
7. 大袋子里有相机和护照。 ( )
8. 李秋有一个朋友在中国国际航空公司工作。 ( )

二、回答问题 Answer the questions:

1. 爱华去旅行,玩儿得怎么样?
2. 回家以后,他先做什么?
3. 大袋子里有什么东西?
4. 他的贵重东西放在哪儿了?
5. 李秋觉得什么东西丢了很可惜?
6. 爱华坐的飞机的航班号是多少?
7. 李秋的朋友答应帮忙吗?

理解及听辨练习
Comprehension and Differentiation

一、听句子判断正误:

Listen and determine whether the following statements are true or false:

1. 他是公共汽车司机。 ( )
2. 他忘了那个小伙子长什么样子了。 ( )
3. 听他爱人的口音,大概是南方人。 ( )
4. 中国海关不让带两瓶酒。 ( )
5. 爸爸的个子更高。 ( )
6. 最近机票很难买,可是他能买到。 ( )

二、听句子选择正确答案 Listen and choose the right answers:

1. 女儿长得更像谁？
   A. 爸爸　　B. 妈妈　　C. 爷爷
2. 他为什么要别人扶他进急诊室？
   A. 他岁数大了　　B. 他病得很重　　C. 他不能走路了
3. 为什么说那个相机丢了很可惜？
   A. 因为价钱很贵
   B. 因为里边有没照完的胶卷儿
   C. 因为是爸妈送的生日礼物
4. 他去哪儿了？
   A. 美国　　B. 日本　　C. 飞机场
5. 包里没有下边说的哪件东西？
   A. 手机　　B. 身份证　　C. 现金
6. 银行哪天不能取钱？
   A. 星期一到星期六　　B. 星期天　　C. 周末

三、听后快速回答问题 Listen and answer the questions quickly:

1. 大饭店平时客人多不多？
2. 哪儿冲胶卷儿又便宜又好？
3. 小时侯的事他忘没忘？
4. 他坐哪天的航班？
5. 这张存折上的钱够付住院的钱吗？
6. 他知道要开会吗？

第二十五课 Lesson 25
中国很快就可以变成森林王国了

生 词 New Words

1. 种	（动）	zhòng	to plant
2. 棵	（量）	kē	*measure word*
3. 想法	（名）	xiǎngfǎ	idea
4. 美化	（动）	měihuà	to beautify
5. 贡献	（动、名）	gòngxiàn	to contribute；contribution
6. 工具	（名）	gōngjù	tool
7. 树苗	（名）	shùmiáo	sapling
8. 这里	（代）	zhèlǐ	here
9. 禁止	（动）	jìnzhǐ	to forbid
10. 凉	（形）	liáng	cool
11. 牌子	（名）	páizi	board
12. 跟	（动）	gēn	to follow
13. 淹	（动）	yān	to drown
14. 死	（动）	sǐ	to die
15. 危险	（形）	wēixiǎn	dangerous
16. 植	（动）	zhí	to plant
17. 组织	（动、名）	zǔzhī	to organize；organization
18. 生态	（名）	shēngtài	ecology
19. 遭	（动）	zāo	to suffer
20. 严重	（形）	yánzhòng	severe
21. 破坏	（动）	pòhuài	destruction
22. 各	（代）	gè	each；every
23. 重视	（动）	zhòngshì	to emphasize
24. 保护	（动）	bǎohù	to protect

25. 采取	(动)	cǎiqǔ	to adopt
26. 措施	(名)	cuòshī	measure
27. 改善	(动)	gǎishàn	to improve
28. 森林	(名)	sēnlín	forest
29. 面积	(名)	miànjī	area
30. 减少	(动)	jiǎnshǎo	to reduce
31. 逐渐	(副)	zhújiàn	gradually
32. …性	(名、尾)	…xìng	*suffix of a noun*
33. 变	(动)	biàn	to change
34. 王国	(名)	wángguó	kingdom
35. 正好	(形)	zhènghǎo	happen to
36. 顺路	(副)	shùnlù	on the way

听后模仿 Listen and Repeat

一、听词组,然后跟读 Listen to the phrases and repeat after them

二、听句子,然后跟读 Listen to the sentences and repeat after them

功能会话 Functional Dialogues

一、【谈绿化】(Talking about afforestation)

1. 判断正误 Determine whether the following statements are true or false:

(1) 星期六他要去郊区种结婚纪念树。 ( )

(2) 去种树,不用带树苗,也不用带工具。 ( )

(3) 他们中午出发,下午六点回来。 ( )

2. 模仿完成会话 Complete the dialogue according to what you hear:

A:星期六____________,你打算怎么过?

B:我打算____________。

A:这个想法________。咱们________?

B:好啊。你也________,为____________做点儿贡献。

A:要不要带__________?

B：不用，那儿________。

A：什么时候________？几点能________？

B：______________出发，______________回来了。

二、【劝阻】(Dissuasion)

1. 选择正确答案　Choose the right answers:

(1) 这里禁止做什么？

A. 抽烟　　　B. 喝酒　　　C. 游泳

(2) 怎么知道在这里游泳很危险？

A. 上星期淹死了一个人

B. 他觉得水太凉了

C. 没有人在这儿划船

2. 模仿完成会话　Complete the dialogue according to what you hear:

A：你怎么________？

B：我________，这里________。

A：没关系。这儿的水__________，快__________。

B：你看，那个牌子上写着：__________！别________。

A：你划船________，我再________。

B：听说__________，________。这里真的________，快________。

A：好吧。我________。

课　文　Text

一、判断正误　**Determine whether the following statements are true or false:**

1. 这个星期六李秋跟学校去郊区种树。　　　(　)
2. 约翰在加拿大每年都跟家里人去植树。　　　(　)
3. 现在全世界都很重视环境保护问题。　　　(　)
4. 中国现在已经是一个森林王国了。　　　(　)
5. 约翰也想为中国的绿化做点儿贡献。　　　(　)
6. 他们打算早上出发，下午回来。　　　(　)

二、回答问题　Answer the questions:

1. 这个植树节是星期几？
2. 学校组织大家去哪儿？
3. 约翰要跟谁去植树？
4. 现在森林面积是在不断地增加还是在不断地减少？
5. 他们几点出发？
6. 李秋一家跟约翰在哪儿见面？

理解及听辨练习
Comprehension and Differentiation

一、听句子判断正误：
Listen and determine whether the following statements are true or false:

1. 下个月7号我要种一棵纪念树。　(　　)
2. 这里禁止停车。　(　　)
3. 不能酒后开车。　(　　)
4. 现在各国都很重视环境保护问题。　(　　)
5. 学生们暑假要去海南旅行。　(　　)
6. 那件衣服他穿着有点儿大。　(　　)

二、听句子选择正确答案　Listen and choose the right answers:

1. 怎样能绿化、美化我们的生活环境？
   A. 大家都买花儿　B. 大家都种树　C. 大家都去郊区住
2. 这个牌子上写着什么？
   A. 禁止抽烟　B. 禁止停车　C. 禁止游泳
3. 他怎么帮助孩子学习？
   A. 帮他做练习　B. 帮他买很多书　C. 给他请家教
4. 他们的生活怎么样？
   A. 改善了　B. 越来越差　C. 没有以前好
5. 世界各地的生态环境怎么样？
   A. 有改善　B. 遭到破坏　C. 越来越好

6. 他为什么每天送孩子去学校？

A. 因为学校离家太远　B. 因为路上危险　　C. 因为顺路

三、听后快速回答问题　**Listen and answer the questions quickly:**

1. 他每年都做什么？
2. 那个小区的环境怎么样？
3. 这儿能停车吗？
4. 他赚的钱比以前多了还是少了？
5. 学校明天组织大家去做什么？
6. 公司对职员的建议重视吗？

第二十六课 Lesson 26
你以前是做什么工作的

生 词 New Words

1. 职位	（名）	zhíwèi	position
2. 公关	（名）	gōngguān	public relations
3. 机关	（名）	jīguān	office
4. 公务员	（名）	gōngwùyuán	public servant
5. 稳定	（形）	wěndìng	stable
6. 收入	（名）	shōurù	income
7. 笔试	（名）	bǐshì	written examination
8. 通过	（动）	tōngguò	to pass
9. 面试	（名）	miànshì	interview
10. 进行	（动）	jìnxíng	to conduct
11. 同事	（名）	tóngshì	colleague
12. 离婚		lí hūn	divorce
13. 心情	（名）	xīnqíng	mood
14. 聊天		liáo tiān	chat
15. 命	（名）	mìng	life
16. 难道	（副）	nándào	*used in a rhetorical question for emphasis*
17. 逛	（动）	guàng	to stroll
18. 话剧	（名）	huàjù	modern drama
19. 中秋节	（名）	Zhōngqiū Jié	Mid-Autumn Festival
20. 外地	（名）	wàidì	other places
21. 老板	（名）	lǎobǎn	boss
22. 干吗		gànmá	why

23. 心意	（名）	xīnyì	regard
24. 房间	（名）	fángjiān	room
25. 脏	（形）	zāng	dirty
26. 乱	（形）	luàn	messy
27. 参观	（动）	cānguān	to visit
28. 随便	（形）	suíbiàn	casual
29. 工艺品	（名）	gōngyìpǐn	handicraft
30. 亲戚	（名）	qīnqi	relative
31. 匹	（量）	pǐ	*measure word*
32. 雕	（动）	diāo	to carve
33. 木	（名）	mù	wood
34. 价值	（名）	jiàzhí	value
35. 盘子	（名）	pánzi	plate
36. 敲	（动）	qiāo	to knock

专　名　Proper Noun

1. 首都剧场	Shǒudū Jùchǎng	the Capital Theater
2. 非洲	Fēizhōu	Africa

听后模仿　Listen and Repeat

一、听词组，然后跟读　Listen to the phrases and repeat after them

二、听句子，然后跟读　Listen to the sentences and repeat after them

功能会话　Functional Dialogues

一、【应聘】（Accepting an offer of employment）

1. 选择正确答案　Choose the right answers:

(1) 他来应聘什么职位？

A. 人事部经理　　B. 公关部职员　　C. 公关部经理

(2) 他以前做什么工作？

A. 公司职员　　B. 机关公务员　　C. 大学老师

(3) 什么时候笔试？

A. 这星期一　　B. 上星期一　　C. 下星期一

2. 模仿完成会话　Complete the dialogue according to what you hear:

A：你来应聘________？

B：我想____________。

A：你以前是________？

B：我以前在________。

A：____________不错啊，很________。

B：是______，但______不高。我去年刚______，希望能______。

A：噢，现在一个孩子____________。____________你来参加________。

B：如果我__________，还需要________？

A：是的。我们总经理要对__________。

二、【埋怨】(Complaint)

1. 回答问题　Answer the questions:

(1) 小李昨天晚上去哪儿了？

(2) 他同事怎么了？

(3) 谁的病刚好？

(4) 他们多久没见面了？

(5) 首都剧场演什么？

2. 模仿完成会话　Complete the dialogue according to what you hear:

A：小李，昨天晚上________？我________，没人接；去________，你也不在。

B：有一个同事______，心情______，我陪他______，______。

A：看你，________，怎么能________？不要________？

B：放心吧，我__________，没关系。

A：我们都__________，你真________？难道__________吗？

B：哪能呢。你说______，是______还是______？

A：首都剧场__________，听说________，我很想________。

B：走，__________。

课　文　Text

一、判断正误　Determine whether the following statements are true or false:

1. 马上就要过中秋节了。　(　)
2. 李秋想请陈卉和陈亮一起来家里过节。　(　)
3. 陈卉是第一次到李秋家。　(　)
4. 李秋陪父母去逛商店了。　(　)
5. 李秋爸爸的书房里有很多工艺品。　(　)
6. 那匹木雕马是从欧洲带来的。　(　)

二、回答问题　Answer the questions:

1. 谁出差了?
2. 李秋为什么说赵经理人好?
3. 陈卉为什么去李秋家还带东西?
4. 李秋爸爸的书房里的工艺品大部分是从哪儿来的?
5. 那匹木雕马贵吗?

理解及听辨练习
Comprehension and Differentiation

一、听句子判断正误:

Listen and determine whether the following statements are true or false:

1. 他是公司的老板。　(　)
2. 在机关工作很稳定,可是赚的钱不多。　(　)
3. 他通过了面试,没通过笔试。　(　)
4. 我心情不好,他陪我聊聊天。　(　)
5. 女孩子喜欢去商店买东西。　(　)
6. 他的房间很干净。　(　)

二、听句子选择正确答案　Listen and choose the right answers:

1. 这家合资公司招聘几个职位?

　A. 一个　　B. 两个　　C. 三个

2. 他想找什么样的工作？

A. 收入高的　　B. 收入稳定的　　C. 收入低的

3. 他爱人在哪儿工作？

A. 外国　　B. 北京　　C. 外地

4. 什么地方不能随便参观？

A. 展览馆　　B. 公司办公室　　C. 经理的房间

5. 这件工艺品价值多少钱？

A. 几百块　　B. 几万块　　C. 七万块

6. 他们离婚了吗？

A. 离了　　B. 还没离呢　　C. 马上就离

三、听后快速回答问题　Listen and answer the questions quickly:

1. 他想应聘什么职位？
2. 哪个工作赚钱比较多？
3. 小李离婚离了多长时间就又结婚了？
4. 他为什么心情很好？
5. 别人为什么不愿意进他的房间？
6. 那个盘子是吃饭用的吗？

第二十七课 Lesson 27

这么简单的魔术我也能变

生　词 New Words

1.	精彩	（形）	jīngcǎi	wonderful
2.	魔术师	（名）	móshùshī	magician
	魔术	（名）	móshù	magic
3.	台	（名）	tái	stage
4.	布	（名）	bù	cloth
5.	盖	（动）	gài	to cover
6.	鱼	（名）	yú	fish
7.	缸	（名）	gāng	jar; bowl
8.	一般	（形）	yìbān	ordinary
9.	简单	（形）	jiǎndān	simple
10.	相信	（动）	xiāngxìn	to believe
	信	（动）	xìn	to believe
11.	神奇	（形）	shénqí	magical
	神	（形）	shén	miraculous
12.	活	（动）	huó	to live
13.	明白	（动、形）	míngbai	to understand; clear
14.	估计	（动）	gūjì	to reckon
15.	利用	（动）	lìyòng	to make use of
16.	完成	（动）	wánchéng	to accomplish
17.	打扰	（动）	dǎrǎo	to disturb
18.	锁	（动、名）	suǒ	to lock; lock
19.	窗户	（名）	chuānghu	window
20.	派出所	（名）	pàichūsuǒ	police substation

21. 段	(量)	duàn	*measure word*
22. 实习	(动)	shíxí	to practice
23. 奖	(名、动)	jiǎng	prize
24. 观众	(名)	guānzhòng	audience
25. 中间	(名)	zhōngjiān	among
26. 鸡蛋	(名)	jīdàn	egg
27. 动物	(名)	dòngwù	animal
28. 芭蕾舞	(名)	bālěiwǔ	ballet
舞	(名)	wǔ	dance
29. 底	(名)	dǐ	end
30. 团	(名)	tuán	troupe
31. 演出	(动、名)	yǎnchū	to perform; performance
32. 靠	(动、介)	kào	to lean on; near
33. 望远镜	(名)	wàngyuǎnjìng	telescope

专 名 Proper Noun

1. 俄罗斯	Éluósī	Russia
2.《天鹅湖》	《Tiān'éhú》	Swan Lake

听后模仿 Listen and Repeat

一、听词组，然后跟读 Listen to the phrases and repeat after them

二、听句子，然后跟读 Listen to the sentences and repeat after them

功能会话 Functional Dialogues

一、【评论】(Making comments)

1. 判断正误 Determine whether the following statements are true or false:

(1) 魔术师又走上台来变魔术了。 ( )

(2) 他们欣赏那种简单的魔术。 (　　)

(3) 那种神奇的魔术估计是利用现代科技完成的。 (　　)

2. 模仿完成会话　Complete the dialogue according to what you hear:

A: 刚才的表演________。你看,那个魔术师________。这次又要________?

B: 大概是________,把________,鱼缸里会有________。

A: 这个魔术我看过,________。这么简单的魔术,________。

B: 你________? 我________。

A: 以后________,我________。

B: 你喜欢哪种魔术表演?

A: 我最欣赏________,比如在一个空箱子里________。

B: 我也是。太________,到现在我________,他们是________。

A: 估计是________。

B: 也许是吧。

二、【寻求帮助 2】(Asking for help 2)

1. 选择正确答案　Choose the right answers:

(1) 他去邻居家做什么?

A. 借锁　　B. 打电话　　C. 爬窗户

(2) 他的钥匙忘在哪儿了?

A. 忘在办公室了　　B. 忘在房间里了　　C. 忘在车上了

(3) 邻居为什么不同意他的想法?

A. 邻居担心警察不让爬窗户

B. 邻居家没窗户

C. 他们住 5 层,爬窗户太危险

(4) 最后他怎么办?

A. 给派出所打电话　　B. 等他爱人回家　　C. 去找钥匙

2. 模仿完成会话　Complete the dialogue according to what you hear:

A: 你好! 有________?

B: 对不起,________。我是________,我把钥匙________,我能________?

A: 不行。这是________,太________。你可以________。

B：我爱人＿＿＿＿＿，要＿＿＿＿＿。

A：你最好＿＿＿＿＿，让他们＿＿＿＿。

B：只能这样了。还得＿＿＿＿，我能＿＿＿＿＿？

A：可以，＿＿＿＿＿。

课　文　Text

一、判断正误　Determine whether the following statements are true or false：

1. 李秋和陈亮很长时间没一起看演出了。　(　)
2. 陈亮下个月也要去实习。　(　)
3. 陈亮建议去看魔术表演，可是李秋没有兴趣。　(　)
4. 他们要去看中国芭蕾舞团的演出。　(　)
5. 李秋让陈亮买靠前的座位。　(　)

二、回答问题　Answer the questions：

1. 李秋这段时间在忙什么？
2. 李秋打算去看什么表演？
3. 这个月底有什么好的演出吗？
4. 陈亮想买什么样的票？

理解及听辨练习
Comprehension and Differentiation

一、听句子判断正误：

Listen and determine whether the following statements are true or false：

1. 昨天的演讲非常精彩。　(　)
2. 这个魔术太简单了。　(　)
3. 他不知道我会开车。　(　)
4. 现在他已经清楚了怎么做那个菜。　(　)
5. 让他别睡了，快点儿起床。　(　)
6. 这个月底有芭蕾舞表演。　(　)

二、听句子选择正确答案　Listen and choose the right answers:

1. 他明白那个魔术是怎么变的吗？

　A. 明白了　　B. 不明白　　C. 就要明白了

2. 他常坐公共汽车上班吗？

　A. 常坐　　B. 不常坐　　C. 很少坐

3. 他周末也上班吗？

　A. 是的　　B. 不是　　C. 上个月是这样

4. 魔术师跟谁一起表演？

　A. 跟他的学生　　B. 跟他的老师　　C. 跟观众

5. 他的车怎么了？

　A. 他把车卖了　　B. 他把车借给别人了　　C. 他的车丢了

6. 他什么时候去欧洲旅游了？

　A. 暑假的时候　　B. 春节的时候　　C. 出国的时候

三、听后快速回答问题　Listen and answer the questions quickly:

1. 六月底北京有什么演出？
2. 他明年还来吗？
3. 谁不相信那封信是他写的？
4. 他现在工作的公司跟他实习的公司是同一家吗？
5. 他吃鸡蛋吗？
6. 座位太靠后有关系吗？

第二十八课　Lesson 28　我一个人拿不了

生　词　New Words

1.	读	（动）	dú	to read
2.	毕业		bì yè	to graduate
3.	电视台	（名）	diànshìtái	TV station
4.	网络	（名）	wǎngluò	network
5.	办事处	（名）	bànshìchù	office
6.	申请	（动）	shēnqǐng	to apply
7.	得到		dédào	get
8.	运	（动）	yùn	luck
9.	与	（介、连）	yǔ	and
10.	贸易	（名）	màoyì	trade
11.	洽谈	（动）	qiàtán	negotiation
12.	宣传	（动、名）	xuānchuán	to publicize; publicity
13.	产品	（名）	chǎnpǐn	product
14.	休假		xiū jià	take a vacation
15.	经验	（名）	jīngyàn	experience
16.	非…不可		fēi…bùkě	must; have to
17.	教育	（名）	jiàoyù	education
18.	博览会	（名）	bólǎnhuì	fair
19.	知名	（形）	zhīmíng	well-known
20.	企业	（名）	qǐyè	enterprise
21.	合同	（名）	hétong	contract
22.	规模	（名）	guīmó	scale
23.	怕	（动）	pà	to fear
24.	帮手	（名）	bāngshou	helper

25. 装　（动）　zhuāng　to load
26. 力　（名）　lì　strength
27. 托运　（动）　tuōyùn　to consign for shipment
28. 体贴　（动）　tǐtiē　considerate
29. 幸运　（形）　xìngyùn　lucky
30. 丈夫　（名）　zhàngfu　husband
31. 眼力　（名）　yǎnlì　judgment
32. 聚　（动）　jù　to gather

专　名　Proper Noun

广州　Guǎngzhōu　*a city of China*

听后模仿　Listen and Repeat

一、听词组，然后跟读　Listen to the phrases and repeat after them

二、听句子，然后跟读　Listen to the sentences and repeat after them

功能会话　Functional Dialogues

一、【谈经历】（Talking about experiences）

1. 选择正确答案　Choose the right answers:

(1) 张先生是什么时候来北京的？

A. 一年以前　B. 十年以前　C. 大学毕业以后

(2) 张先生在大学读的是什么专业？

A. 英语　B. 电脑　C. 经济贸易

(3) 大学毕业以后他在哪儿工作？

A. 电视台　B. 网络公司　C. 银行

(4) 李大中来中国以前在哪儿工作？

A. 在一家银行的中国办事处工作

B. 在一家银行工作

C. 在电视台工作

2. 模仿完成会话　Complete the dialogue according to what you hear:

A：张先生，你是__________？

B：大概__________。你__________我有__________？

A：__________。你是在__________？

B：没错儿。十年前我__________，读的是__________。

A：毕业以后__________？

B：在__________，然后又__________。李大中，你来中国以前__________？

A：我在__________，__________在中国有一个__________，我很想__________。

B：你学了__________？

A：已经__________。七月我就要__________，要是__________，明年春天__________。

B：希望__________。祝__________！

二、【表示坚持】（Expressing persistence）

1. 回答问题　Answer the questions:

(1) 下星期在广州有什么会？

(2) 他们公司为什么一定要参加？

(3) 小陈应该什么时候休假？

(4) 小陈答应女朋友什么了？

(5) 小陈是公司什么样的销售员？

(6) 最后赵经理答应小陈什么了？

2. 模仿完成会话　Complete the dialogue according to what you hear:

A：赵经理，下星期在广州有__________，咱们公司参加吗？

B：当然__________。小陈，这是__________，你今天就去__________。

A：两张？还有谁__________？

B：你啊。每次__________？

A：您忘了，我__________。

B：这样吧，这次洽谈会__________，以后__________，怎么样？

A：我__________？我已经答应__________，陪她去__________。

B：你是咱们公司__________，公司产品的__________，全靠你了，你__________。

A：好吧，可是我得__________。

B：只要你__________，多__________，没问题。

课　文　Text

一、判断正误　**Determine whether the following statements are true or false:**

1. 下个月在广州有一个经济与贸易发展博览会。　(　　)
2. 赵经理他们公司要借这次博览会，宣传一下儿自己的产品。　(　　)
3. 博览会5号开始，10号结束。　(　　)
4. 赵经理让陈卉先去，他后去，因为他有一个重要的合同要签。　(　　)
5. 陈卉跟小张坐飞机去。　(　　)

二、回答问题　**Answer the questions:**

1. 参加这次博览会的公司都是什么样的公司？
2. 陈卉觉得就她和赵经理两个人去够不够？
3. 他们要带几箱东西？
4. 陈卉觉得赵经理是一个什么样的老板？
5. 赵经理觉得谁很有眼力？

理解及听辨练习
Comprehension and Differentiation

一、听句子判断正误：

Listen and determine whether the following statements are true or false:

1. 他刚大学毕业不久。　(　)
2. 从昨天开始，电视台播一部美国电视剧。　(　)
3. 他女儿准备出国读大学。　(　)
4. 这次博览会是世界性的。　(　)
5. 小李是公司最有经验的销售员，可是他不能去参加公司产品的宣传工作。　(　)
6. 他孩子的理想是当教育家。　(　)

二、听句子选择正确答案 Listen and choose the right answers:

1. 那个网络公司在中国有几个办事处？
   A. 一个　B. 两个　C. 没有

2. 他在大学读的是什么专业？
   A. 翻译　B. 经济　C. 英语

3. 今年的假他都休了吗？
   A. 休完了　B. 都没休呢　C. 还没休完呢

4. 那家企业的产品有几种？
   A. 只有一种　B. 两种　C. 很多种

5. 他一共带了几件行李？
   A. 一件　B. 两件　C. 三件

6. 这个周末他们几家人要做什么？
   A. 去旅行　B. 庆祝一下儿　C. 吃吃饭，聊聊天儿

三、听后快速回答问题 Listen and answer the questions quickly:

1. 他什么时候开始工作的？
2. 他为什么走得那么早？
3. 为什么要带小张一起去？
4. 他应该在这家公司干多久？
5. 她丈夫的职位高吗？
6. 为什么说他很幸运？

第二十九课 Lesson 29 我没受伤

生 词 New Words

1. 约会	（名）	yuēhuì	appointment
2. 迟到	（动）	chídào	to be late
3. 抱歉	（形）	bàoqiàn	sorry
4. 被	（介）	bèi	by
5. 摩托车	（名）	mótuōchē	motorcycle
6. 撞	（动）	zhuàng	to bump
7. 处理	（动）	chǔlǐ	to repair
8. 修理厂	（名）	xiūlǐchǎng	repair shop
9. 原谅	（动）	yuánliàng	to forgive
10. 错怪	（动）	cuòguài	to wrong
11. 歉意	（名）	qiànyì	apology
12. 历史	（名）	lìshǐ	history
13. 文学	（名）	wénxué	literature
14. 成绩	（名）	chéngjì	score
15. 及格		jí gé	to pass
16. 研究生	（名）	yánjiūshēng	graduate student
17. 补习	（动）	bǔxí	to attend make-up lessons
18. 脸	（名）	liǎn	face
19. 半路	（名）	bànlù	midway
20. 发生	（动）	fāshēng	to happen
21. 倒霉		dǎo méi	bad luck
22. 突然	（副）	tūrán	suddenly
23. 刹车		shā chē	brake
24. 受伤		shòu shāng	to be injured

25. 叫	（动）	jiào	by
26. 交通	（名）	jiāotōng	traffic
27. 事故	（名）	shìgù	accident
28. 快速	（形）	kuàisù	fast
29. 保险	（名）	bǎoxiǎn	insurance
30. 赔	（动）	péi	to compensate
31. 拖	（动）	tuō	to tow
32. 责任	（名）	zérèn	responsibility
33. 鉴定	（动、名）	jiàndìng	to appraise; appraisal
34. 不一定		bù yídìng	not necessarily
35. 负责	（动）	fùzé	to be responsible for
36. 顿	（量）	dùn	*measure word*
37. 庆贺	（动）	qìnghè	to celebrate
38. 难	（名）	nàn	disaster

听后模仿　Listen and Repeat

一、听词组，然后跟读　Listen to the phrases and repeat after them

二、听句子，然后跟读　Listen to the sentences and repeat after them

功能会话　Functional Dialogues

一、【请求原谅】(Begging for pardon)

1. 判断正误　Determine whether the following statements are true or false:

(1) 王中差不多每次约会都迟到。　(　)

(2) 王中的摩托车被撞了。　(　)

(3) 他的汽车被撞得很厉害，已经送修理厂了。　(　)

(4) 王中为了表示歉意，晚上要请女朋友吃饭。　(　)

2. 模仿完成会话　Complete the dialogue according to what you hear:

A：王中，你____________？每次______。

B：真抱歉，我的汽车__________。刚________，我就________。

A：________厉害吗？

B：不________，已经送________。

A：请原谅，是我________。

B：没关系。我________________。

A：你说什么？

B：没什么。我是说，为了________________，晚上我________________，地方________。

二、【谈学习】(Talking about study)

1. 回答问题　Answer the questions:

(1) 他这次考试什么考得不理想？

(2) 会不会不及格？

(3) 研究生的考试是什么时候？

(4) 他打算这个暑假补习吗？

2. 模仿完成会话　Complete the dialogue according to what you hear:

A：这次考试________？

B：________________很好，可是________________考得不理想。

A：你的学习成绩________________，不会________________？

B：________。

A：________________是几月？

B：________。

A：这个暑假你________________？

B：还________________。

课　文　Text

一、判断正误　Determine whether the following statements are true or false:

1. 陈亮怕李秋等她，跑来的。　(　)
2. 陈亮突然刹车，后边的一辆公共汽车撞上了他的车。　(　)
3. 车被撞坏了，陈亮也受了点儿伤。　(　)
4. 警察很忙，等了半天他们才来。　(　)
5. 陈亮的车被拖到修理厂去了，要做责任鉴定。　(　)

二、回答问题　Answer the questions:

1. 陈亮的脸为什么特别红?
2. 陈亮的车在半路上出了什么问题?
3. 哪辆车突然刹车?
4. 陈亮受没受伤?
5. 陈亮的车现在在哪儿?
6. 陈亮和李秋为什么要去好好吃一顿?

理解及听辨练习
Comprehension and Differentiation

一、听句子判断正误:

Listen and determine whether the following statements are true or false:

1. 他们以前没有约会过。　(　)
2. 他上班去晚了。　(　)
3. 他昨天被一辆摩托车撞伤了。　(　)
4. 他把你们的秘密告诉别人,你没错怪他。　(　)
5. 他的历史学得不怎么样。　(　)
6. 他还没给新车买保险呢。　(　)

二、听句子选择正确答案　Listen and choose the right answers:

1. 他把什么弄丢了?
   A. 自行车　B. 自行车钥匙　C. 摩托车钥匙
2. 这次考试考得怎么样?
   A. 都不错　B. 都很差　C. 数学考得不好
3. 他为什么要上补习班?
   A. 他的学习成绩差　B. 他要考大学　C. 他要考研究生
4. 鉴定结果是谁的责任?
   A. 前边车的责任　B. 后边车的责任　C. 中间车的责任
5. 要是他的车被撞了,谁负责赔?
   A. 撞他车的人　B. 被他撞的人　C. 保险公司

6. 他做什么总迟到？

A. 上课　　　　B. 约会　　　　C. 开会

三、听后快速回答问题 Listen and answer the questions quickly:

1. 现在在北京发生交通事故以后,处理得快不快？
2. 他的房间被谁弄得又脏又乱？
3. 他明天是自己开车上班吗？
4. 他晚上还来吗？
5. 他考上了什么专业的研究生？
6. 他什么时候开始不喜欢看球赛了？

第三十课　Lesson 30　祝你一路顺风

生　词　New Words

1. 胖	（形）	pàng	fat
2. 减肥		jiǎn féi	to lose weight
3. 方法	（名）	fāngfǎ	method
4. 节食		jié shí	to go on diet
5. 健康	（形、名）	jiànkāng	healthy; health
6. 食品	（名）	shípǐn	food
7. 操场	（名）	cāochǎng	playground
8. 健身	（动）	jiànshēn	body-building
9. 操	（名）	cāo	exercise
10. 武术	（名）	wǔshù	martial arts
11. 体操	（名）	tǐcāo	gymnastics
12. 懒	（形）	lǎn	lazy
13. 舍不得		shě bu de	to grudge
14. 离开		lí kāi	to leave
15. 继续	（动）	jìxù	to continue
16. 如果	（连）	rúguǒ	if
17. 改正	（动）	gǎizhèng	to correct
18. 行李	（名）	xíngli	luggage
19. 顺风	（形）	shùnfēng	plain sailing; good trip
20. 饯行	（动）	jiànxíng	to give a farewell dinner
21. 举	（动）	jǔ	to raise
22. 敬	（动）	jìng	to toast
23. 关心	（动）	guānxīn	to take care
24. 照顾	（动）	zhàogù	to look after

25. 挺	(副)	tǐng	rather
26. 温柔	(形)	wēnróu	tender
27. 贤惠	(形)	xiánhuì	virtuous
28. 妻子	(名)	qīzi	wife
29. 收获	(动、名)	shōuhuò	to gain; gain
30. 度	(动)	dù	to spend
31. 蜜月	(名)	mìyuè	honeymoon
32. 订婚		dìng hūn	to be engaged to
33. 惊喜	(名)	jīngxǐ	pleasant surprise
34. 美满	(形)	měimǎn	happy; perfectly satisfactory
35. 白头偕老		bái tóu xié lǎo	live to a ripe old age in conjugal bliss
36. 吉言	(名)	jíyán	propitious words

听后模仿 Listen and Repeat

一、听词组,然后跟读 Listen to the phrases and repeat after them

二、听句子,然后跟读 Listen to the sentences and repeat after them

功能会话 Functional Dialogues

一、【谈减肥】(Talking about losing weight)

1. 选择正确答案 Choose the right answers:

(1) 他最近怎么了?

A. 越来越懒　　B. 越来越累　　C. 越来越胖

(2) 他已经试了哪些方法了?

A. 又吃药,又喝茶

B. 又跳健身操,又节食

C. 又喝减肥茶,又节食

(3) 朋友建议他怎么减肥?

A. 少吃饭　　B. 锻炼身体　　C. 不睡觉

2. 模仿完成会话 Complete the dialogue according to what you hear:

A: 我最近________,怎么办呢?

B: ________。

A: 我已经试了________,又________,又________,都没用。

B: 你应该______________,吃________。我每天早上______________。

A: 我不喜欢________。

B: 你可以________,________,都可以________。

A: 其实我很喜欢____________,小时候____________。现在因为________,________。

B: 明天________________。

二、【送别】(Seeing off)

1. 判断正误 Check the following as right or wrong:

(1) 大卫明天要回国了。 ( )

(2) 大卫让小李继续练习说汉语。 ( )

(3) 小李明天早上六点要送大卫去机场。 ( )

2. 模仿完成会话 Complete the dialogue according to what you hear:

A: 小李,明天我________,真舍不得________。

B: 大卫,我们也________________,以后还有________________。

A: 我想我还会________。

B: 回国以后得________________,要是不________,很快________。

A: 放心吧,我用汉语________。如果有________,你就________。

B: 你的________? 要不要______________?

A: 不用。我已经________________,明天早上________。

B: 那我们就________,祝你________!

课 文 Text

一、判断正误 Determine whether the following statements are true or false:

1. 爱华就要回国了,大家一起吃饭,为他饯行。 ( )

2. 爱华敬了叔叔、婶婶一杯酒,感谢他们对他的关心和照顾。( )

3. 爱华来中国最大的收获是找到了一位温柔、贤惠、漂亮的女朋友。 ( )

4. 李秋昨天已经把她要和陈亮结婚的消息告诉父母了。 ( )

5. 陈亮不同意去美国旅行结婚。 ( )

二、回答问题 **Answer the questions:**

1. 李秋觉得爱华最应该感谢的人是谁？为什么？
2. 陈卉今天为什么没来？
3. 爱华回国以后有什么打算？
4. 李秋和陈亮有什么好消息要告诉大家？
5. 李秋和陈亮打算什么时候订婚？什么时候结婚？

理解及听辨练习
Comprehension and Differentiation

一、听句子判断正误：

Listen and determine whether the following statements are true or false:

1. 他有点儿胖，可是不用减肥。 ( )
2. 要是想减肥，就得锻炼。 ( )
3. 总睡懒觉身体不好。 ( )
4. 明天他不回国了。 ( )
5. 他们打算结婚以后去美国生活。 ( )
6. 她是一个体贴丈夫的好妻子。 ( )

二、听句子选择正确答案 **Listen and choose the right answers:**

1. 她怎么减肥？

   A. 节食　　B. 打球　　C. 练健美操

2. 他为什么身体很健康？

   A. 他常爬山

   B. 他小时候练过健美操

   C. 他小时候练过武术和体操

3. 为什么说他越来越懒了？

   A. 他不洗衣服，不做饭　B. 他总睡懒觉　C. 他不看书也不看报

4. 他妻子为什么不工作？

A. 她要在家照顾父母　B. 她要在家照顾孩子　C. 她要在家休息

5. 那个孩子的学习怎么样？

A. 成绩很好　B. 成绩一般　C. 成绩不好

6. 他给父母一个什么惊喜？

A. 他考上大学了　B. 他考上研究生了　C. 他找到工作了

三、听后快速回答问题　Listen and answer the questions quickly:

1. 他怎么了？
2. 周末他想做什么？
3. 他妻子为什么不想出国学习？
4. 他要去哪儿？
5. 这次来中国最大的收获是什么？
6. 他们要去哪儿蜜月旅行？

录音文本和练习答案

The Tapescript and the Answer Key

第十六课 Lesson 16 他学钢琴学了十年了

听后模仿 Listen and Repeat

一、听词组，然后跟读 Listen to the phrases and repeat after them:

钢琴	弹钢琴	学钢琴	一架钢琴	
花	花时间	花钱	花了三个小时	花了很多钱
重要	很重要	重要比赛	重要考试	重要工作
进步	有进步	进步很快	学习进步	
机会	有机会	找机会	好机会	机会不多
当	当医生	当老师	当画家	当音乐家
不断	不断地努力	不断地进步	不断地学习	
展览	看展览	办展览	油画展览	艺术展览

二、听句子，然后跟读 Listen to the sentences and repeat after them:

1. 听说你儿子弹钢琴弹得很不错。
2. 他学钢琴学了多长时间了？
3. 我以前总希望能当画家。
4. 你应该不断地努力，一定能实现你的愿望。
5. 这本书我看了两个月了。
6. 我很长时间没弹了，我建议你们请一个专业老师。
7. 你也很喜欢艺术吗？
8. 下星期在中国美术馆有油画展览。

功能会话 Functional Dialogues

一、【谈学业】(Talking about home study)

A：听说你儿子钢琴弹得很不错，最近在北京市比赛还得了第三名。祝贺你！

B：谢谢！

A：他学钢琴学了多长时间了？

B：学了十年了。他五岁的时候，我给他买了一架钢琴。

A：他每天都练习吗？

B：是的，每天都花三个小时练习。老师很重要，练习更重要。

A：他的老师是谁？

B：我给他请了一个专业老师，这位老师很喜欢他，说他聪明，进步快。

A：要是有机会，我能听听他弹琴吗？

B：可以啊。

1. 判断正误　Check the following as right or wrong:

(1) ×　(2) ✓　(3) ✓　(4) ×　(5) ×

二、【鼓励】(Encouragement)

A：我以前总希望能当画家，现在发现不太可能。

B：要有信心。你学画画儿学了多长时间了？

A：三四年吧。

B：三四年就已经画得这么好了。你应该不断地努力，一定能实现你的愿望。

A：真的？那我一定努力。

B：以后你当了画家，别忘了我啊。

A：当然不会。

注释　Note

真的？

在这儿表示对对方的话感到吃惊，达到了难以相信的地步。

It is used here to express surprise at what one hears, which is incredible.

1. 选择正确答案　Choose the right answers:

(1) B　(2) C　(3) A

课　文　Text

李秋：你好，约翰！这么早就到图书馆看书了？

约翰：是李秋啊！你也来得很早啊。

李秋：昨天晚上睡觉睡得比较早，早上六点就醒了。

约翰：你来借书吗？
李秋：是啊。你呢？
约翰：我来还书。这本书我看了两个月了。
李秋：你看了多长时间？
约翰：两个月。
李秋：什么书看得这么慢？
约翰：介绍中国音乐的书。里边生词很多。
李秋：你喜欢音乐吗？
约翰：是的。我很喜欢艺术。我五岁开始学习弹钢琴，学了十年以后，我又开始学画画儿。
李秋：太好了！我哥哥的儿子打算学钢琴，你能教他吗？
约翰：我很想教他，可是我很长时间没弹了，我建议你们请一个专业老师。
李秋：好吧。
约翰：你借了什么书？
李秋：我借了几本小说，还借了一本《世界油画选》。
约翰：你也很喜欢艺术吗？
李秋：是的。我喜欢画画儿。下星期在中国美术馆有油画展览，我想和陈卉去看看。
约翰：下星期我也跟你们去，行吗？
李秋：好啊。

一、判断正误 Determine whether the following statements are true or false:

1. ✓ 2. ✗ 3. ✓ 4. ✓ 5. ✓ 6. ✗ 7. ✓ 8. ✓

理解及听辨练习
Comprehension and Differentiation

一、听句子判断正误：

Listen and determine whether the following statements are true or false:

1. 他儿子五岁就开始参加钢琴比赛。 (✗)
2. 他得了北京市太极拳比赛第三名。 (✓)
3. 他是中文专业的学生。 (✗)
4. 小李很聪明，进步很快。 (✓)

5. 有机会我介绍你认识他。 (×)
6. 他当了画家了，他终于实现了自己的愿望。 (√)
7. 昨天我睡觉睡得很晚，可是我今天早上醒得很早。 (×)

二、听句子选择正确答案 Listen and choose the right answers:

1. 他儿子每天花三个小时学钢琴。 (A)
2. 今天的考试很重要，我得早点儿去。 (C)
3. 他很聪明，汉语进步得很快。 (A)
4. 有机会，我想去日本旅行。 (C)
5. 他妈妈是画家，总希望他以后也能当画家。 (A)
6. 老师建议他学艺术专业。 (B)
7. 下星期在中国美术馆有一个世界油画展。 (C)

三、听后快速回答问题 Listen and answer the questions quickly:

1. 我听说赵经理弹钢琴弹得特别好。
2. 那位运动员有信心得第一名。
3. 这本书我看了两个多月，因为书里的生词太多了。
4. 他女朋友建议他去银行工作。
5. 我希望能当画家。
6. 他不断地努力，终于实现了自己的愿望。
7. 他唱歌进步得很快，是因为他请了一个专业老师教他。

第十七课　Lesson 17　你去过几次杭州

听后模仿　Listen and Repeat

一、听词组，然后跟读　Listen to the phrases and repeat after them:

环境	环境不错	周围的环境	学习环境	工作环境
次	一次	去过两次	用过三四次	
值得	值得去	值得看	值得玩儿	
遍	一遍	看过两遍	听过很多遍	
些	一些	这些	那些	
节	国庆节	春节	情人节	
安排	安排一下儿	有安排	怎么安排	
计划	计划一下儿	计划去哪儿	有计划	

二、听句子，然后跟读　Listen to the sentences and repeat after them:

1. 周末你去哪儿了？
2. 那儿的环境怎么样？
3. 那个小区绿化得很不错，树很多。
4. 你去过长城吗？
5. 你可以顺便游览一下儿十三陵。
6. 你去过几次杭州？
7. 国庆节放几天假？
8. 我们得计划一下儿。

功能会话　Functional Dialogues

一、【介绍环境】(Talking about environment)

A：小李，周末你去哪儿了？

B：我去郊区了。一个朋友在郊区刚买了一所大房子，让我们去住两天。

A：那儿的环境怎么样？

B：非常好。那个小区绿化得很不错，树很多。

A：周围有草坪吗？

B：有，房子前边就有一块小草坪，我还帮我朋友剪了一次草呢。

A：那儿的邻居怎么样？

B：不错。他的邻居是一位老太太，一见面就对我们微笑，还很热情地跟我们打招呼呢。

1. 判断正误　Determine whether the following statements are true or false：

(1) ✓　(2) ✗　(3) ✗　(4) ✓

二、【咨询】(Asking for advice)

A：田中，你去过长城吗？

B：去过。我去过三四次呢。你呢？

A：还没有。我这个星期五要去。

B：你可以顺便游览一下儿十三陵，那儿也值得看。

A：怎么去呢？

B：你可以坐旅游车去，也可以坐火车去。非常方便。

A：我想听听你的建议，我是先去长城呢，还是先去十三陵？

B：先去长城，再去十三陵。我有一本介绍长城和十三陵的书，我看过很多遍了，借你看看。

1. 选择正确答案　Choose the right answers：

(1) B　(2) A　(3) A　(4) A

课　文　Text

(在李秋家)(At Li Qiu's home)

李　秋：爱华，去上海玩得高兴吗？

李爱华：玩得高兴极了。

李　秋：你们去了哪些地方？

李爱华：我陪陈卉去看了她父母，还顺便游览了杭州西湖和苏州园林。

李　秋：我没去过苏州，可是我去过杭州，我特别喜欢杭州西湖。

李爱华：我也特别喜欢西湖，还想再去。李秋，你去过几次杭州？

李　秋：我去过三次了，每次感觉都不一样。

李爱华：明年春天我们一起再去一次。上海、苏州和杭州都很值得看。

李　秋：行啊。对了，爱华，昨天陈亮打电话问国庆节怎么安排。

李爱华：国庆节放几天假？

李　秋：放假7天。
李爱华：有7天假，我们得计划一下儿。
李　秋：陈亮建议到北京郊区住两天。
李爱华：这个主意不错。郊区的空气好，人也少，让叔叔、婶婶也一起去吧。
李　秋：是啊，他们也去。
李爱华：陈卉去吗？
李　秋：当然去啊。
李爱华：住的地方最好有名胜古迹，可以顺便去游览。
李　秋：这件事让陈亮去安排吧。

一、判断正误　Determine whether the following statements are true or false:

1. √　2. √　3. ×　4. ×　5. √　6. ×　7. √

理解及听辨练习
Comprehension and Differentiation

一、听句子判断正误：

Listen and determine whether the following statements are true or false:

1. 他周末去郊区玩儿了。（√）
2. 那个小区环境不错，树很多，草坪也很大。（√）
3. 我的邻居是个老太太，每次见面都跟我打招呼。（×）
4. 你去杭州旅游的时候，可以顺便游览一下儿苏州。（×）
5. 这本书值得再看一遍。（√）
6. 放假的时候，我计划去郊区住几天，因为那儿的空气好。（×）

二、听句子选择正确答案　Listen and choose the right answers:

1. 他在郊区买了一所房子，房子周围绿化得很不错。（C）
2. 他儿子每个周末帮他剪草坪，他给儿子10块钱。（C）
3. 那个地方还值得再去。（A）
4. 他陪他爱人的父母游览了杭州西湖。（C）
5. 他从美国来这儿就是为了要看名胜古迹。（C）
6. 学校每年2月和7月放假。（A）

三、听后快速回答问题　**Listen and answer the questions quickly:**

1. 每个周末他都要去学画画儿。
2. 学校周围的环境不错，树很多，绿化得很好。
3. 他每星期剪一次草坪。
4. 他们的邻居对他们很好，常常把一些吃的东西送给他们。
5. 他每次去故宫感觉都不一样。
6. 国庆节放假7天。
7. 他在郊区买了一所大房子，因为那儿的房子比较便宜，空气也好。

第十八课　Lesson 18　他当爸爸了

听后模仿　Listen and Repeat

一、听词组,然后跟读　Listen to the phrases and repeat after them:

巧　真巧　太巧了　真不巧

上　桌子上　车上　火车上　飞机上　信上

样子　高兴的样子　伤心的样子　哭的样子　睡觉的样子

消息　好消息　坏消息　告诉你一个消息

可爱　很可爱　可爱的样子　样子很可爱　长得很可爱

越来越　越来越热　越来越难　越来越漂亮

改　改时间　改地方　改名字

二、听句子,然后跟读　Listen to the sentences and repeat after them:

1. 下班以后你有空儿吗?
2. 我出国的签证签了。
3. 桌子上有一封你的信。
4. 看你高兴的样子,一定有什么好消息吧。
5. 真替你高兴。
6. 天越来越阴了,要下大雨了。
7. 你听,打雷了。
8. 以后我一定找时间向他表示祝贺。

功能会话　Functional Dialogues

一、【婉拒】(Polite refusal)

A:小李,下班以后你有空儿吗?

B:真不巧,我要跟朋友一起去看京剧。经理,有什么事吗?

A:我想请你吃饭,我出国的签证签了。

B:祝贺你!什么时候走?

A:大概下个月。

B：走以前找个时间吧。

A：下星期三，怎么样？

B：明天我再告诉你吧。

1. 判断正误　Determine whether the following statements are true or false：

(1) ×　　(2) ✓　　(3) ×

二、【庆贺】(Congratulation)

A：老李，桌子上有一封你的信。

B：谢谢！

A：看你高兴的样子，一定有什么好消息吧。

B：我女儿生了，生了一个儿子。

A：恭喜！恭喜你当外公了，也恭喜你女儿当了妈妈。

B：下班以后我请大家吃饭，都要来啊。

A：太好了！我们去吃粤菜。

B：不，我请你们吃海鲜。地方，你们选。

注释　Note

看你高兴的样子

用“看你”是指出从一个人的表情或动作已经表现出某种内心活动。

“看你” suggests a revelation of inner motions through the facial expression or behavior.

课　文　Text

陈　卉：赵经理，今天你为什么那么高兴？

赵经理：我当爸爸了！

陈　卉：真的？恭喜你！是男孩还是女孩？

赵经理：是男孩，非常可爱，长得像他妈妈。

陈　卉：真替你高兴。

赵经理：下班以后，我想请朋友们庆祝一下儿。你和李秋，还有爱华都来好吗？

陈　卉：我想没问题。我现在就给李秋和爱华打电话。

赵经理：哟，天越来越阴了，要下大雨了。

陈　卉：天气预报说今天晚上有大雨。

赵经理：你听，打雷了。告诉李秋和爱华，别出门，我开车去接他们。

(陈卉给李秋打电话)(Chen Hui calls Li Qiu)

陈　卉：喂，李秋吗？是我，陈卉。
李　秋：陈卉，是你啊。什么事？
陈　卉：今天晚上有人要请咱们吃饭。你有空儿吗？
李　秋：谁那么好，请吃饭？
陈　卉：赵经理。告诉你一个好消息，他当爸爸了。
李　秋：是吗？太好了！替我向他祝贺。生了个儿子还是女儿？
陈　卉：儿子。
李　秋：我非常想去，可是真不巧，晚上我要跟同学去剧院看戏。
陈　卉：这样啊。我问问赵经理，让他改个时间吧。
李　秋：不用，你跟爱华作代表吧。告诉赵经理，以后我一定找时间向他表示祝贺。

一、判断正误　Determine whether the following statements are true or false:

1. ✓　2. ×　3. ✓　4. ✓　5. ×

理解及听辨练习
Comprehension and Differentiation

一、听句子判断正误：

Listen and determine whether the following statements are true or false:

1. 下班以后我有空儿，我们去看赵经理吧。（×）
2. 他下个月要出国旅游。（✓）
3. 他去日本的签证已经签了，大概 8 月走。（✓）
4. 桌子上有两张今天晚上的京剧票。（✓）
5. 我先告诉你一个好消息，再告诉你一个坏消息。（×）
6. 女儿长得像爸爸，不像妈妈。（×）

二、听句子选择正确答案　Listen and choose the right answers:

1. 他们公司每天早上 8:30 上班，5:30 下班。（B）
2. 天越来越阴了，大概要下大雨了。（B）
3. 外边很冷，出门多穿点儿衣服。（C）
4. 他喜欢男孩，他爱人喜欢女孩。（B）
5. 他儿子代表他们一家人去参加婚礼了。（C）
6. 他在国外，每星期给家里写一封信。（A）

三、听后快速回答问题 Listen and answer the questions quickly:

1. 我周末有空儿。
2. 真不巧,我今天晚上有事,我们改个时间再去看房子吧。
3. 他出国的签证已经办了,下星期走。
4. 打雷了,要下雨了,别出门了。
5. 他喜欢吃粤菜,不喜欢吃苏州菜。
6. 他准备把学钢琴的消息告诉外公。
7. 他不知道考试改时间了。

第十九课　Lesson 19　您带着眼镜呢

听后模仿　Listen and Repeat

一、听词组，然后跟读　Listen to the phrases and repeat after them:

免费	免费吃	免费玩儿	免费旅游		
取	取钱	取票	取东西		
取消	取消比赛	取消旅行计划	座位取消了	婚礼取消了	
辆	一辆自行车	一辆出租车	一辆儿童车		
眼镜	戴眼镜	一副眼镜	近视(眼)镜		
老	老运动员	老同学	老地方	老照片	老房子
年轻	年轻人	真年轻	又年轻又漂亮		

二、听句子，然后跟读　Listen to the sentences and repeat after them:

1. 我想订两张去昆明的飞机票。
2. 我建议你去中华民族园。
3. 你们最好坐出租车去，别自己开车。
4. 您戴着眼镜呢。
5. 到昆明，需要坐二十几个小时的车呢。
6. 真是不好意思。
7. 我跟他开个玩笑。
8. 老先生，您真有福气。

功能会话　Functional Dialogues

一、【电话订票】(Booking tickets through phone calls)

A：旅行社吗？我想订两张去昆明的飞机票。多少钱一张？

B：900 块。

A：儿童票多少钱？有免费票吗？我儿子今年 8 岁。

B：没有免费票。3 岁以上，12 岁以下是半价。您要订哪天的？

A：我想订 28 号的。

B：请把你们的姓名告诉我，还有联系电话。

A：什么时候能取票？

B：请在26号以前取，26号还不取，我们会取消您的座位。

1. 判断正误　Determine whether the following statements are true or false:

(1) ×　(2) ×　(3) √　(4) √

二、【建议2】(Making suggestions 2)

A：小王，周末你去哪儿？

B：还不知道呢。

A：我建议你去中华民族园。那儿有少数民族的文艺节目表演，很有意思。

B：是吗？我带我儿子一起去。

A：带你儿子去？他还那么小。

B：没关系。我推辆儿童车，让他在车里躺着。

A：你们最好坐出租车去，别自己开车。周末人多，可能没有停车的地方。

B：谢谢你的建议。

课　文　Text

(李爱华和李秋一家一起去云南旅行，他们在火车站)(Li Aihua travels with Li Qiu and her family to Yunnan. They are at the train station.)

李　秋：爸爸，您看看车票，咱们在第几车厢啊？

李志远：等一下儿，我得找找我的眼镜。

李爱华：您戴着眼镜呢。

李志远：不是这副，这是近视镜，看远处时用。看近处的东西时，得戴老花镜。

李　秋：您把车票给我，让我看吧。是第十二车厢。

(在火车上)(On the train)

李　秋：咱们的车票是16上、中、下铺，还有一个是17上铺。

李爱华：到了。这儿就是16、17铺。

李　秋：妈，您睡中铺，让爸睡下铺，我和爱华睡上铺。

李志远：还是让你妈睡下铺吧，她身体不太好。

男青年：老先生，你们去哪儿啊？

李志远：我们去昆明旅行。

男青年：到昆明，需要坐二十几个小时的车呢。我的票是17号下铺，我跟您换换。

李志远：不用，不用。谢谢！

男青年：您别客气。您这么大岁数，上下不太方便，我年轻，没问题。
李志远：真是不好意思。太谢谢你了。
男青年：哪里。出门在外，大家应该互相帮助。
李　秋：你也帮助帮助我，怎么样？我跟你换换，你睡上铺。
男青年：可以啊。
李志远：李秋！你太过分了。
李　秋：爸，我跟他开个玩笑。我还没老呢。
男青年：老先生，这是您女儿吧，又年轻又漂亮。您真有福气。

注释　Note

① 哪里

当对方向你表示感谢时，可以用“哪里”回答，有时也说“不用谢”“别客气”等。

In response to gratitude, one can say “哪里”, or sometimes “不用谢”, “别客气”, etc.

② 出门在外，大家应该互相帮助。

“出门”在这儿指离家远行。有时指到屋子外边。比如：“出门穿一件衣服就行了。”

Here “出门” means leaving home on a journey. Sometimes it also means going out of the house, e.g.“出门穿一件衣服就行了。”

③ 您真有福气。

这样的句子常用于称赞或羡慕别人家的生活幸福。

This sentence is often used to praise or admire another person's happy life.

一、判断正误　Determine whether the following statements are true or false:

1. ✓　2. ✓　3. ✕　4. ✕　5. ✓　6. ✓

理解及听辨练习
Comprehension and Differentiation

一、听句子判断正误：

Listen and determine whether the following statements are true or false:

1. 3 岁以下的儿童坐飞机免费。（✕）
2. 我们可以电话联系，也可以用 E-MAIL 联系。（✓）
3. 他 26 号还没取票，旅行社取消了他的座位。（✕）
4. 国庆节去中华民族园，门票半价。（✕）

5. 他戴的眼镜是副近视镜。 (√)

6. 他总跟爱人开玩笑。 (√)

二、听句子选择正确答案 Listen and choose the right answers:

1. 旅行社安排大家看少数民族文艺节目表演。 (B)
2. 看远处得戴近视镜,看近处得戴老花镜。 (B)
3. 从学校坐车去体育馆需要一个半小时。 (B)
4. 因为下雨,比赛取消了。 (B)
5. 国庆节中华民族园门票半价,儿童免费。 (A)
6. 他去找赵经理的时候,赵经理正带着他儿子在楼前玩儿呢。 (B)

三、听后快速回答问题 Listen and answer the questions quickly:

1. 他常常跟旅行社一起去旅游。
2. 3岁以下的儿童坐飞机免费。
3. 他岁数大了,坐火车得睡下铺。
4. 小李病了,每天都在床上躺着。
5. 王老师,这是我的地址和电话,以后常联系。
6. 他常跟老陈开玩笑。
7. 我叔叔近视,看书得戴近视镜。

第二十课　Lesson 20　我更喜欢中国画儿

听后模仿　Listen and Repeat

一、听词组，然后跟读　Listen to the phrases and repeat after them:

优惠	有优惠	没有优惠	优惠多少	优惠很多
现代	现代科技	现代艺术	现代化	
幅	一幅油画	一幅风景画	一幅字画	
价钱	价钱很贵	价钱便宜	价钱高	价钱低
仔细	仔细看	仔细欣赏	很仔细	仔细得很
爱	爱爬山	爱打球	爱听音乐	爱喝酒
研究	研究研究	研究一下儿	研究艺术	研究中国文化

二、听句子，然后跟读　Listen to the sentences and repeat after them:

1. 去动物园吧，那儿有一个海洋馆。
2. 我不同意，那儿的门票很贵。
3. 我也觉得不错，不过价钱有点儿贵。
4. 周末比平时人多。
5. 我更喜欢中国画儿。
6. 这个画家比刚才那个有名，这幅画儿的价钱也比那幅贵得多。

功能会话　Functional Dialogues

一、【同意与反对】(Agreement and disagreement)

A：今天去北海公园划船，怎么样？

B：好啊。不过今天晴天，划船太热。去动物园吧，那儿有一个海洋馆。

A：我不同意。那儿的门票很贵，80 块一张。咱们三个人得 240 块！

B：现在是"五一"节，听说有优惠。6 岁以下的孩子 40 块，6 岁以上、12 岁以下的 60 块。

A：还是太贵了。6 岁以下的孩子应该免费。

B：不可能免费。那去科技馆，怎么样？那儿有一个现代科技展览。门票一张 20 块。

A：行啊。我同意去那儿。

注释 Notes

那去科技馆，怎么样？

“那”用来承接上文，引出另一种想法或决定。

“那”is used to link the preceding text to introduce another idea or decision.

1. 判断正误 Determine whether the following statements are true or false:

(1) × (2) ✓ (3) × (4) × (5) ✓

二、【评价 2】(Making an assessment 2)

A：你觉得这幅风景画儿怎么样？

B：不错。比刚才那幅好。

A：我也觉得不错，不过价钱有点儿贵。

B：刚才那幅比这幅便宜，可是画得没有这幅好。

A：你说，我买哪幅好呢？

B：买这幅贵的吧，这个画家也比刚才那个有名。

课 文 Text

（约翰和李秋在琉璃厂荣宝斋）(John and Li Qiu at Rongbaozhai in Liulichang)

约翰：李秋，这个地方真不错。人少，很安静。我们可以仔细地欣赏这些画儿。

李秋：约翰，你不知道，周末比平时人多。今天不是周末，所以人少。

约翰：你爱看美术展览吗？

李秋：爱看，尤其是油画展。中国美术馆一有油画展我就去看。

约翰：我更喜欢中国画儿。

李秋：我觉得你对中国文化很有兴趣。

约翰：是的。我小时候的理想是当律师或者医生。上大学以后，我决定研究中国文化。

李秋：所以你来中国学习汉语。

约翰：是啊。李秋，你看这幅风景画儿怎么样？我觉得比刚才那幅画得好。

李秋：这个画家比刚才那个有名，这幅画儿的价钱也比那幅贵得多。其实，这两幅都不错。

约翰：对，这两幅画儿的特点不同，我都很喜欢。你说我买哪幅？
李秋：我比较喜欢那幅便宜的。
约翰：这个画家也比较有名吧？
李秋：是的，不过没有那个画家那么有名。
约翰：我就买那幅便宜的吧。
李秋：你去付钱，我再看看别的东西。
约翰：这儿附近有没有卖古玩的？
李秋：有啊。这条街有很多小商店，都卖古玩、字画。
约翰：一会儿你带我去看看。
李秋：没问题。

一、判断正误 Determine whether the following statements are true or false:

1. ✓ 2. ✓ 3. ✗ 4. ✓ 5. ✗ 6. ✗ 7. ✓

理解及听辨练习
Comprehension and Differentiation

一、听句子判断正误：

Listen and determine whether the following statements are true or false:

1. 上个周末他带儿子去北海公园划船了。 （✗）
2. 他不同意去海洋馆，因为那儿的门票太贵。 （✗）
3. 这幅中国风景画比那幅油画儿画得好。 （✗）
4. 她喜欢安静，平时很少出门。 （✗）
5. 他很爱看美术展览，尤其是世界油画儿展。 （✓）
6. 他的理想是当律师或者医生。 （✗）

二、听句子选择正确答案 Listen and choose the right answers:

1. 他对中国文化很有兴趣，所以决定来中国学习汉语。 （C）
2. 第三幅画儿的价钱比第二幅便宜。 （B）
3. 这两个公园的特点不同，其实我比较喜欢那个小公园。 （B）
4. 这两幅字画都很好，他不能决定买哪幅。 （B）
5. 中国科技馆有一个现代科技展。 （C）
6. 他的汉字写得比我还好，不过说得没有我好。 （A）
7. 他不喜欢周末去商店，因为周末比平时人多。 （A）

三、听后快速回答问题 Listen and answer the questions quickly:

1. 过节的时候飞机票有优惠。
2. 今天看展览的人少,你可以仔细欣赏。
3. 他平时都是六点就起床了,今天是周末他八点才起。
4. 他的理想是当画家。
5. 他对古玩字画很有研究。
6. 今天天气那么好,我们去公园划船吧。
7. 图书馆比家里安静,你去图书馆看书吧。

第二十一课 Lesson 21 香港给我的印象不错

听后模仿 Listen and Repeat

一、听词组，然后跟读 Listen to the phrases and repeat after them:

生意	生意好做	生意难做	做生意	做什么生意
印象	好印象	坏印象	印象不错	印象很差
干净	很干净	干净极了	干干净净	
传统	传统文化	传统活动	传统节目表演	
热闹	非常热闹	热闹极了	不热闹	热热闹闹
方面	吃的方面	穿的方面	这方面	那方面
丰富	饭菜丰富	活动丰富	丰富的生活	
话	说话	普通话	广东话	
担心	非常担心	不用担心	别担心	

二、听句子，然后跟读 Listen to the sentences and repeat after them:

1. 现在市场竞争太激烈了。
2. 生意真是一年比一年难做啊。
3. 香港给你的印象怎么样？
4. 香港的人口比北京多吗？
5. 我想先跟几个朋友去桂林，然后再去香港。
6. 听说7月有一个传统活动，热闹得很。
7. 吃早茶跟吃饭一样。
8. 90%以上的香港人都说广东话。

功能会话 Functional Dialogues

一、【表示慨叹】(Signing with emction)

A：你们公司做什么生意？

B：我是玩具公司的。

A：你们公司的玩具卖得怎么样？

B：卖得一年比一年差，现在市场竞争太激烈了。

A：我们公司跟你们一样，生意也越来越难做了。

B：你们公司做什么生意？

A：我是房地产公司的。我们今年才卖了十几套房子。

B：唉，生意真是一年比一年难做啊。

二、【谈印象】（Talking about impressions）

A：香港给你的印象怎么样？

B：不错。城市很干净，建筑很漂亮。

A：香港的东西是不是比较贵？

B：太贵了！比北京贵得多。

A：吃、穿、用都比北京贵吗？

B：都比北京贵，最贵的是租房子和买房子。

A：香港的人口比北京多吗？

B：不比北京多，不过香港地方小，到处都很拥挤。

1. 选择正确答案　Choose the right answers:

（1）B　（2）B　（3）C　（4）B

课　文　Text

李爱华：约翰，暑假就要到了，你有什么打算？

约　翰：我想先跟几个朋友去桂林，然后再去香港。

李爱华：听说桂林非常美，以后有机会我一定要去看看。

约　翰：不要等以后了，这次我们一起去吧。

李爱华：不行。我已经答应陈卉了，跟她一起去内蒙古旅行。

约　翰：陈卉也放暑假吗？

李爱华：她不放暑假，不过一年有15天假，她准备安排在8月。

约　翰：7月去内蒙古比较好，听说7月有一个传统活动，热闹得很。

李爱华：有表演吗？

约　翰：有。还有体育比赛呢，比如骑马、摔跤比赛等。

李爱华：7月陈卉要跟赵经理去欧洲出差，大概二十几天。

约　翰：噢，这样啊。爱华，去年春节你是不是去过香港？

李爱华：是啊。香港给我的印象不错，可是东西比较贵。比如穿的方面，比北京贵，差不多贵一倍多。

约　翰：香港人口有多少？

李爱华：香港的人口是北京的二分之一。

约　翰：香港人的饮食习惯是不是跟广东人一样？

李爱华：是的，差不多。你去香港一定要吃早茶，很好吃。

约　翰：吃早茶？茶不是喝的吗？

李爱华：其实吃早茶跟吃饭一样，吃的东西非常丰富。

约　翰：好的。对了，香港人是不是说广东话？很难懂吧？

李爱华：90%以上的香港人都说广东话，不过别担心，现在越来越多的人会说普通话了。

约　翰：这我就放心了。

注释　Note

这我就放心了。

在这儿表示这样我就放心了。

Here it means "Thus I'm relieved".

一、判断正误 Determine whether the following statements are true or false:

1. ✓　2. ✗　3. ✗　4. ✓　5. ✗　6. ✓

理解及听辨练习
Comprehension and Differentiation

一、听句子判断正误：

Listen and determine whether the following statements are true or false:

1. 他们公司卖玩具。 (✗)
2. 现在的生意一年比一年难做。 (✓)
3. 他对那个城市的印象不错，又干净又漂亮。 (✓)
4. 今天车上很拥挤。 (✗)
5. 他答应儿子暑假带他去桂林旅游。 (✓)
6. 在中国过春节有很多传统活动。 (✗)
7. 香港的人口不如北京多。 (✗)
8. 他们公司三分之一的职员会说英语。 (✗)

二、听句子选择正确答案 Listen and choose the right answers:

1. 他们的生意越做越大。 (C)
2. 他对中国的印象很好,明年还要来。 (C)
3. 他答应陪他爱人出国旅行。 (B)
4. 他租了一间又便宜又干净的房子。 (C)
5. 中国人的饮食习惯跟外国人不一样。 (A)
6. 他担心没有公共汽车了,所以走得很快。 (C)

三、听后快速回答问题 Listen and answer the questions quickly:

1. 现在市场竞争太激烈了,生意越来越难做了。
2. 香港的人口不比北京多,可是到处都很拥挤。
3. 他不放暑假,可是他一年有一个月的假。
4. 他不放心女朋友一个人回家。
5. 他们周末的活动很丰富。
6. 香港人不都会说普通话。

第二十二课　Lesson 22　我把电脑弄坏了

听后模仿　Listen and Repeat

一、听词组,然后跟读　Listen to the phrases and repeat after them:

修改	修改计划	修改好	修改完	
弄	弄好了	弄坏了	弄完了	
修	修电脑	修电视	修车	
查	查资料	查电话号码	查票	查车
所有	所有的人	所有的东西	所有的地方	
顺利	非常顺利	顺利得很	祝你顺利	
故意	故意的	故意不来	故意拖延	
讨论	讨论讨论	讨论一下儿	开会讨论	

二、听句子,然后跟读　Listen to the sentences and repeat after them:

1. 对不起,还没修好呢。
2. 恐怕得拖延两天了,后天一定给你。
3. 你总算来了。
4. 因为路上堵车,所以来晚了。
5. 路上顺利吧?
6. 你把箱子给我,我帮你拿。
7. 下个月的销售计划还没做好呢。
8. 你得记住,电脑里重要的资料都应该做备份。

功能会话　Functional Dialogues

一、【延误】(Delay)

A: 下个月的销售计划今天该给我了。

B: 对不起,还没修改完呢。刚才我把电脑弄坏了。

A: 今天能修好吗?

B: 现在正在修呢,可能要下午了。

A：你用我的电脑吧，这样快一点儿。

B：不行。我的电脑里有很多重要的资料，我得查。

A：你什么时候能把销售计划给我？

B：恐怕得拖延两天了，后天一定给你。

1. 判断正误　Determine whether the following statements are true or false:

(1) ✓　(2) ×　(3) ✓　(4) ×

二、【接人】(Receiving people)

A：老王，你总算来了。我正准备给你打电话呢。

B：你怎么在这儿等啊？我在站台上找遍了，都没找到你。

A：列车一到，我就在站台上等，可是所有的人都走了，你还没来，我才到这儿来等你。

B：真对不起。因为路上堵车，所以来晚了。

A：没关系。我们走吧。

B：路上顺利吧？

A：还好，就是时间太长。

B：你把箱子给我，我帮你拿。

A：不用了，这个箱子不沉。

注释　Note

还好，就是时间太长。

"还好"的意思表示程度不高，勉强过得去。

"还好" indicates a low degree, meaning barely passable.

1. 选择正确答案　Choose the right answers:

(1) A　(2) C　(3) B

课　文　Text

李爱华：陈卉，今天晚上咱们去看电影，怎么样？

陈　卉：不行啊，爱华，我得加班。

李爱华：晚上还工作？

陈　卉：是啊。今天上午我把电脑弄坏了，让人来修，不知道什么时候能修好。

李爱华：都快六点了，可以明天再修嘛。

陈　卉：我希望早点儿修好。下个月的销售计划还没做好呢，赵经理很着急。
李爱华：他什么时候要？
陈　卉：星期五，今天已经星期三了。
李爱华：晚一点儿给他没关系吧。是电脑坏了，不是你故意拖延啊。
陈　卉：不能再晚了。下星期一要开会讨论这份计划，所以星期五我一定要给赵经理。
李爱华：那你用我的笔记本电脑吧。
陈　卉：不行。一些重要的客户资料都在我的电脑里，另外我还要上网查一些东西。
李爱华：你的客户资料没做备份吗？
陈　卉：没做。
李爱华：你得记住，电脑里重要的资料都应该做备份。
陈　卉：你现在告诉我也来不及了，不过以后我会记住的。
李爱华：你们办公室别人有没有客户资料？
陈　卉：你提醒得对，也许赵经理有。我去问问他。
李爱华：你做完了，给我打个电话，我来接你。
陈　卉：好吧。

一、判断正误　Determine whether the following statements are true or false:

1. √　2. √　3. ×　4. ×　5. √　6. ×

理解及听辨练习
Comprehension and Differentiation

一、听句子判断正误：

Listen and determine whether the following statements are true or false:

1. 我把电脑弄坏了，销售计划还没修改好呢。（√）
2. 他正在网上查资料呢。（√）
3. 这份计划今天恐怕不能给你了，得后天了。（√）
4. 我在站台上等了快一个小时了，火车总算到了。（×）
5. 他最近每天晚上都在公司加班。（√）
6. 老师提醒学生下星期一早上八点开始考试。（×）

二、听句子选择正确答案 Listen and choose the right answers:

1. 这个星期五要开会讨论销售计划,你得在星期三以前把计划给我。 (C)
2. 电脑坏了,因为他没给资料做备份,恐怕都丢了。 (B)
3. 这个箱子不沉,里边只有一个笔记本电脑。 (C)
4. 他把他的手机号告诉我了,可是我没记住。 (B)
5. 他不小心把朋友的自行车弄坏了。 (A)
6. 医生提醒他多休息。 (C)

三、听后快速回答问题 Listen and answer the questions quickly:

1. 这件事恐怕得拖延一两个星期了。
2. 列车晚到了两个小时,我六点半才接到他。
3. 他常在家里上网查资料。
4. 他今天晚上得加班。
5. 李小姐,十点我要开会,到时候你提醒我。
6. 那份计划你修改完了,给赵经理吧。

第二十三课 Lesson 23 你最近在忙什么呢

听后模仿 Listen and Repeat

一、听词组，然后跟读 Listen to the phrases and repeat after them:

麻烦	麻烦你一下儿	太麻烦了	不麻烦	
问题	有问题	没问题	一个问题	什么问题
家庭	有家庭	家庭问题	家庭人口	家庭教师
左右	一个小时左右	半天左右	两星期左右	30块钱左右
久	很久	太久了	多久	
了解	增加了解	了解得不多	很了解	不太了解
轻松	轻松一下儿	轻轻松松	不轻松	非常轻松
满意	很满意	满意极了	不满意	

二、听句子，然后跟读 Listen to the sentences and repeat after them:

1. 我想请你帮个忙。
2. 麻烦你帮我翻译成汉语，行吗？
3. 她想给儿子请一个家庭教师。
4. 那你帮我联系一下儿吧。
5. 今天晚上有一个关于中国经济发展的演讲。
6. 你最近在忙什么呢？

功能会话 Functional Dialogues

一、【寻求帮助 1】(Asking for help 1)

A：赵经理，你现在有空儿吗？我想请你帮个忙。

B：帮什么忙，小王？

A：昨天我收到一个英语电子邮件，看不懂。麻烦你帮我翻译成汉语，行吗？

B：没问题。可是有个重要谈判马上就要开始了，下午你再来找我吧。

A：好吧。你的电脑没上网吧？要不要我打印一份给你？

B：不用。我的电脑上网了，下午你来就行了。

A：太感谢了！

B：不客气！

1. 判断正误　Determine whether the following statements are true or false：

(1) ×　(2) √　(3) √　(4) ×

二、【介绍工作】(Introducing a job)

A：小张，你当过家教吗？

B：没有，不过我很想试试。

A：我有一个朋友，她想给儿子请一个家庭教师，教数学。你有兴趣吗？

B：好啊。他们家离这儿远吗？

A：不太远。骑车十分钟左右，坐公共汽车大概两三站吧。

B：一个星期几次啊？

A：一两次吧。

B：那你帮我联系一下儿吧。

课　文　Text

李秋：约翰，今天晚上有一个关于中国经济发展的演讲，你去吗？

约翰：我对经济没有兴趣，不想去。李秋，你去吗？

李秋：我想去听听。下星期有一个关于中国书法和绘画的讲座，你可以去听听。

约翰：是吗？这个我有兴趣，我一定去。

李秋：好久没见，你最近在忙什么呢？

约翰：我在一个合资公司的培训部当英语老师。

李秋：真不错啊。一方面可以打工赚钱，另一方面可以增加对中国社会的了解。

约翰：是啊，这个工作很轻松，报酬也不错，我很满意。

李秋：你还有时间再做一份工作吗？

约翰：什么工作？

李秋：我有一个朋友，她想给儿子请一个家教，学英语。

约翰：一个星期学几次？

李秋：学一两次吧。

约翰：什么时间学？

李秋：大概是晚上吧。

约翰：晚上可以。他们家住得远吗？

李秋：不远，就住在我们学校附近的花园小区。

约翰：骑车要多长时间？
李秋：十分钟左右。
约翰：她儿子上几年级了？
李秋：上初三。
约翰：初三是什么意思？
李秋：就是初中三年级，马上就要考高中了。
约翰：噢，那你帮我联系一下儿吧。

一、判断正误　Determine whether the following statements are true or false:

1. ×　2. ✓　3. ×　4. ×　5. ×　6. ✓
7. ×　8. ×

理解及听辨练习
Comprehension and Differentiation

一、听句子判断正误：
Listen and determine whether the following statements are true or false:

1. 昨天他收到家里的一封信。　(×)
2. 麻烦你帮我把这封电子邮件翻译成英语。　(×)
3. 张经理马上要去参加一个谈判。　(✓)
4. 他每个周末去当家教，教音乐。　(×)
5. 从我们家骑车去他们家需要15分钟左右。　(×)
6. 那个工作非常轻松，报酬也不错。　(×)
7. 他儿子今年上初三，明年上高中。　(✓)

二、听句子选择正确答案　Listen and choose the right answers:

1. 他在一家合资公司工作，每个月赚不少钱。　(A)
2. 小王现在打两份工，一个是在一家公司当英语老师，另一个是当家教。　(B)
3. 他对书法和绘画很有兴趣。　(C)
4. 星期五晚上有关于经济发展的讲座。　(C)
5. 他对这套房子很满意，可是对周围环境不太满意。　(B)
6. 他们才认识了三个月，互相还不太了解。　(A)

三、听后快速回答问题 **Listen and answer the questions quickly:**

1. 他在一家合资公司当经理。
2. 谈判上午 9:00 就开始了,现在已经 12:30 了,还没结束呢。
3. 小王,你把那份销售计划打印一份给我。
4. 他刚到培训部工作不久。
5. 他打工赚了不少钱,给女儿买了一辆新自行车。
6. 明天就要考试了,他还有很多问题没弄清楚。

第二十四课 Lesson 24
你还记得你的航班号吗

听后模仿 Listen and Repeat

一、听词组,然后跟读 Listen to the phrases and repeat after them:

样子	什么样子	说话的样子	跳舞的样子	睡觉的样子	长的样子
口音	有口音	南方口音	北京口音		
够	够吃了	够不够	钱不够花	够用了	
全	全国	全世界	全公司	全家	
可惜	太可惜了	可惜极了	不可惜		
办法	有办法	没办法	办法很多		
国际	国际航班	国际航空公司	国际邮局	国际学校	

二、听句子,然后跟读 Listen to the sentences and repeat after them:

1. 一位客人把包丢在我的车上了。
2. 你还记得他长什么样子吗?
3. 包里有没有证件?
4. 请把您的箱子打开。
5. 我一定把它忘在飞机上了。
6. 有洗好的照片,还有一个没冲的胶卷儿。
7. 有没有办法找到呢?
8. 你还记得你的航班号吗?

功能会话 Functional Dialogues

一、【寻找失主】(looking for the owner of the lost property)

A:警察同志,我是出租车司机。一位客人把包丢在我的车上了。

B:你还记得他长什么样子吗?

A：是一个小伙子。个子大概有 1 米 78 左右，戴眼镜，说话有南方口音。

B：他一个人坐车吗？

A：跟他一起坐车的还有一位老先生，他们好像是爷爷和孙子。

B：他们在哪儿下车了？

A：他们在医院下了车，小伙子扶爷爷进了急诊室。

B：包里有什么？

A：有身份证，还有一个存折和 5000 块现金。我想他们一定很着急。

B：放心吧，我们立刻就跟医院联系。

1. 选择正确答案　Choose the right answers:

(1) C　(2) A　(3) C　(4) B　(5) C

二、【过海关】(Going through the customs)

A：请把您的箱子打开。这是什么？

B：是烟。

A：您带了几条？

B：五条。因为我抽烟，所以多带了几条。

A：您只能带两条。那是什么？

B：那是酒。

A：您只能带一瓶。

B：对，我只带了一瓶，一瓶就够了。

1. 判断正误　Determine whether the following statements are true or false:

(1) ×　(2) √

课　文　Text

(李爱华旅行回来到叔叔家。)(Li Aihua comes to his uncle's after returning from a trip)

李爱华：终于到家了。李秋，我先去洗澡，然后咱们全家一起去吃饭，我请客。

李　秋：好啊。爱华，这次去海南玩儿得怎么样？

李爱华：非常好。我照了很多照片，有一些我已经洗好了，你可以看看。

李　秋：你去洗澡，我先看看照片。

李爱华：在那个大袋子里，你自己找吧。

李　秋：大袋子？这儿只有一个大包啊。

李爱华：糟糕，我一定把它忘在飞机上了。

李　秋：你把它放在哪儿了？

李爱华：就放在我旁边的座位上，那个座位没人。

李　秋：袋子里有什么？

李爱华：有洗好的照片，还有一个没冲的胶卷儿，另外还有海南的一些土特产，准备送人的。

李　秋：没有贵重的东西吧？

李爱华：没有。我的护照、相机和手机都在包里。

李　秋：那还好。只是那些照片有点儿可惜。

李爱华：是可惜。有没有办法找到呢？

李　秋：你还记得你的航班号吗？

李爱华：可以看我的机票啊。

李　秋：对，快看看。CA1508 航班，是中国国际航空公司的飞机。这样吧，我有一个朋友在那儿工作，我帮你问问。

（李秋给朋友打了个电话）(Li Qiu calls a friend)

李爱华：怎么样，李秋？

李　秋：放心吧，我朋友说一找到你的东西就马上通知你，然后让人把东西送来。

李爱华：太好了！我现在可以放心地去洗澡了。

注释　Note

这样吧，…

常用来引出某种建议或选择。比如："这样吧，你先去，我一会儿就到。"

It is often used to introduce a suggestion or an option, e.g. "这样吧，你先去，我一会儿就到。"

一、判断正误　Determine whether the following statements are true or false:

1. ×　2. √　3. √　4. ×　5. ×　6. √
7. ×　8. √

理解及听辨练习
Comprehension and Differentiation

一、听句子判断正误：

Listen and determine whether the following statements are true or false:

1. 他是出租汽车司机。 (×)
2. 他不记得那个小伙子长什么样子了。 (√)
3. 他爱人说话有南方口音。 (√)
4. 中国只让带两条烟，一瓶酒进海关。 (√)
5. 儿子的个子比爸爸还高。 (×)
6. 最近机票很难买，可是他有办法弄到。 (√)

二、听句子选择正确答案 Listen and choose the right answers:

1. 女儿长得更像爸爸，不太像妈妈。 (A)
2. 他病得很厉害，得别人扶他进急诊室。 (B)
3. 那个相机是我父母送我的生日礼物，可惜让我弄丢了。 (C)
4. 他没坐中国国际航空公司的飞机去美国。 (A)
5. 他丢的包里有身份证、存折和手机。 (C)
6. 今天星期日，银行休息，要取钱，得等明天了。 (B)

三、听后快速回答问题 Listen and answer the questions quickly:

1. 大饭店平时的生意不太好，过节的时候客人比较多。
2. 学校附近的这家小店冲胶卷儿又便宜又好。
3. 他还记得小时候的事。
4. 10月8号的航班没座位了，他只能坐10月12号的航班走了。
5. 住院得付5000块现金，可这张存折上只有3000块。
6. 他没接到开会的通知。

第二十五课 Lesson 25
中国很快就可以变成森林王国了

听后模仿 Listen and Repeat

一、听词组，然后跟读 Listen to the phrases and repeat after them:

种　种树　种花儿　种草
贡献　贡献很大　有贡献　做贡献
禁止　禁止游泳　禁止抽烟　禁止开快车
危险　很危险　危险极了　有危险　没危险
破坏　破坏严重　遭到破坏　遭到严重破坏
各　各个　各国　各种　各种各样
保护　保护生态环境　环境保护(环保)　保护森林　保护自己
逐渐　逐渐减少　逐渐增加　逐渐进步
…性　重要性　严重性　危险性　破坏性
改善　改善环境　改善生活　有改善　很大的改善　改善措施

二、听句子，然后跟读 Listen to the sentences and repeat after them:

1. 我打算去郊区种一棵纪念树。
2. 你也种一棵树，为绿化、美化环境做点儿贡献。
3. 这里禁止游泳。
4. 这里真的很危险，快上来吧。
5. 生态环境遭到严重破坏。
6. 现在各个国家都越来越重视环境保护问题。
7. 人们逐渐认识到植树的重要性。
8. 中国很快就可以变成森林王国了。

功能会话 Functional Dialogues

一、【谈绿化】(Talking about afforestation)

A：星期六就是你的生日了，你打算怎么过？

B：我打算去郊区种一棵纪念树。

A：这个想法不错。咱们一起去吧？

B：好啊。你也种一棵，为绿化、美化环境做点儿贡献。

A：要不要带工具和树苗啊？

B：不用，那儿都有。

A：什么时候出发？几点能回来？

B：早上六点出发，中午就能回来了。

1. 判断正误 Determine whether the following statements are true or false:

（1）× （2）✓ （3）×

二、【劝阻】(Dissuasion)

A：你怎么还不下来？

B：我不下去，这里禁止游泳。

A：没关系。这儿的水一点儿也不凉，快下来吧。

B：你看，那个牌子上写着：禁止游泳！别游了。

A：你划船跟着我，我再游一会儿。

B：听说上星期有人在这儿游泳，淹死了。这里真的很危险，快上来吧。

A：好吧。我马上就上来。

1. 选择正确答案 Choose the right answers:

（1）C （2）A

课 文 Text

约翰：李秋，这个星期六是植树节，学校组织去郊区植树。你去吗？

李秋：我不跟学校去，我跟我们家人一起去。你跟学校去吗，约翰？

约翰：我还不知道呢。你们家人也去郊区植树？

李秋：对。每年我们全家都要去郊区植树。

约翰：你们家对北京的绿化做了不少贡献啊。

李秋：那当然。我是北京人，应该绿化、美化北京的环境。

约翰：因为生态环境遭到严重破坏，各国都越来越重视环境保护问题，采取措施改善生态环境。

李秋：是啊。中国的森林面积在不断地减少，人们逐渐认识到植树的重要性。

约翰：中国人那么多，每人每年都种一棵树，中国很快就可以变成一个森林王国了。

李秋：希望我能看到这一天。
约翰：我也想为中国的绿化做点儿贡献。
李秋：好啊，星期六你可以跟我们一起去，爱华也去。
约翰：好极了。怎么去？
李秋：开车去。
约翰：几点出发？
李秋：大概六点出发。
约翰：什么时候能回来？我下午四点有事。
李秋：中午就能回来了。
约翰：好吧。我六点以前到你家。
李秋：不用。我们开车到学校接你，正好顺路。

一、判断正误　Determine whether the following statements are true or false:

(1) ×　(2) ×　(3) √　(4) ×　(5) √　(6) ×

理解及听辨练习
Comprehension and Differentiation

一、听句子判断正误：

Listen and determine whether the following statements are true or false:

1. 下个月7号是我们的结婚纪念日，我要种一棵纪念树。　(√)
2. 这里禁止停车，要把车停到停车场去。　(√)
3. 喝酒以后开车很危险，你打车回去吧。　(√)
4. 现在各国都在采取措施改善生态环境。　(√)
5. 今年暑假学校要组织学生们去海南玩儿。　(√)
6. 那件衣服他穿正好。　(×)

二、听句子选择正确答案　Listen and choose the right answers:

1. 每人每年种一棵树，可以绿化、美化我们的生活环境。　(B)
2. 这个牌子上写着：禁止游泳。　(C)
3. 他很重视孩子的学习，给他孩子请了两个家教。　(C)
4. 他们的生活一天比一天好了。　(A)
5. 世界上很多地方的生态环境都遭到严重破坏。　(B)
6. 因为顺路，他每天送孩子去学校。　(C)

三、听后快速回答问题　**Listen and answer the questions quickly:**

1. 他每年都去郊区种树。
2. 那个小区绿化、美化得不错。
3. 这里禁止停车。
4. 最近生意难做，他赚的钱也减少了三分之一。
5. 学校明天组织大家去看文艺节目表演。
6. 他们公司不太重视职员的建议。

第二十六课 Lesson 26
你以前是做什么工作的

听后模仿 Listen and Repeat

一、听词组，然后跟读 Listen to the phrases and repeat after them:

稳定　收入稳定　生活稳定　社会稳定　工作稳定

通过　通过考试　通过笔试　通过面试

聊天　跟朋友聊天　聊了聊天　聊了一会儿天

二、听句子，然后跟读 Listen to the sentences and repeat after them:

1. 我想应聘公关部经理。
2. 你以前是做什么工作的？
3. 我们总经理要对所有通过笔试的人进行面试。
4. 你的病刚好，怎么能喝酒呢？
5. 难道就没时间陪陪我吗？
6. 老板给钱，就得听老板的。
7. 你能来我们就很高兴了，干吗还带东西？
8. 你们家可真干净。
9. 这匹非洲木雕马是我爸的同事送的。

功能会话 Functional Dialogues

一、【应聘】(Accepting an offer of employment)

A：你来应聘什么职位？

B：我想应聘公关部经理。

A：你以前是做什么工作的？

B：我以前在机关当公务员。

A：公务员这个工作不错啊，很稳定。

B：是很稳定，但收入不高。我去年刚有了一个孩子，希望能多赚点儿钱。

A：噢，现在一个孩子是需要很多钱。下星期一你来参加笔试吧。

B：如果我笔试通过了，还需要再面试吗？

A：是的。我们总经理要对所有通过笔试的人进行面试。

1. 选择正确答案　Choose the right answers:

（1）C　（2）B　（3）C

二、【埋怨】（Complaint）

A：小李，昨天晚上你去哪儿了？我打电话，没人接；去找你，你也不在。

B：有一个同事刚离婚，心情不太好，我陪他喝了点儿酒，聊了会儿天儿。

A：看你，病刚好，怎么能喝酒呢？不要命了？

B：放心吧，我只喝了一点儿，没关系。

A：我们都一个多月没见面了，你真那么忙吗？难道就没时间陪陪我吗？

B：哪能呢。你说去哪儿，是逛商店还是看电影？

A：首都剧场演一个新话剧，听说不错，我很想去看。

B：走，我们现在就去。

注释　Note

① 看你，病刚好。

"看你"在句中作插入成分，有埋怨的意思。

"看你" serves as a parenthesis in the sentence with a note of complaint.

② 哪能呢。

在这儿的意思是强调不可能。

Here it emphasizes impossibility.

课　文　Text

李爱华：李秋，明天是中秋节，我想请陈卉来家里跟我们一起过，行吗？

李　秋：当然行。

李爱华：你不叫陈亮也一起来吗？

李　秋：陈亮正好去外地出差，不能来。

李爱华：中秋节还要出差，他们公司的经理不怎么样。

李　秋：没办法。经理给钱，就得听经理的。

李爱华：以后让陈亮自己当经理，听自己的。

李　秋：我也希望这样。

（第二天陈卉应邀来到李秋家）（The next day Chen Hui comes to Li Qiu's home at invitation）

李　秋：哟，是陈卉啊。你来得真早啊。

陈　卉：今天是中秋节，赵经理让大家早点儿下班回家。

李　秋：还是赵经理人好。快进来，你能来我们就很高兴了，干吗还带东西？

陈　卉：第一次来你们家，得表示点儿心意。伯父伯母不在啊？

李　秋：爱华陪他们去买东西了，一会儿就回来。

陈　卉：你们家可真干净。

李　秋：别的房间都还可以，只有我的房间又脏又乱。

陈　卉：我先参观一下儿你们家吧。

李　秋：请随便看。这是我爸的书房。

陈　卉：这么多工艺品，都是伯父从国外带回来的吧？

李　秋：很多都是，也有一些是亲戚朋友送的。

陈　卉：这匹马雕得真不错。是木雕的吧？

李　秋：是的。这匹非洲木雕马是我爸的同事送的，价值几千块呢。还有这个盘子也是。

陈　卉：李秋，有人敲门。

李　秋：一定是爱华他们回来了。我去开门。

注释　Note

① 他们公司的经理不怎么样。

"不怎么样"的意思是"不好"，多用于口语。比如："这次考试考得不怎么样，才得了60多分。"

"不怎么样" means "不好" (not good). It is often used in spoken language, e.g."这次考试考得不怎么样，才得了60多分。"

② 经理给钱，就得听经理的。

"听"在这儿是"听从""遵从"的意思。

Here "听" means "听从" or "遵从" (obey).

③ 干吗

口语中常用来提问，询问原因。这里表示"不必带东西"。

It is often used in the spoken language to ask for the cause of something. Here it means "不必带东西".

一、判断正误　Check the following as right or wrong:

1. ✓　2. ✗　3. ✓　4. ✗　5. ✓　6. ✗

理解及听辨练习
Comprehension and Differentiation

一、听句子判断正误：
Listen and determine whether the following statements are true or false:

1. 他是公司总经理，不是普通职员。 (√)
2. 在机关工作很稳定，可是收入不高。 (√)
3. 他通过了笔试，没通过面试。 (×)
4. 他心情不好，让我陪他聊聊天。 (×)
5. 女孩子都爱逛街。 (√)
6. 他的房间又脏又乱，一点儿都不干净。 (×)

二、听句子选择正确答案　Listen and choose the right answers:

1. 这家合资公司招聘一个公关部经理，一个人事部经理。 (B)
2. 他想找一份收入稳定的工作。 (B)
3. 他在北京工作，他爱人在外地工作。 (C)
4. 这是公司的办公室，不能随便参观。 (B)
5. 这件工艺品价值几万块。 (B)
6. 他们是去年离的婚。 (A)

三、听后快速回答问题　Listen and answer the questions quickly:

1. 他想应聘大学教师的职位。
2. 他以前是机关公务员，收入不高。现在是一家公司公关部职员，收入不错。
3. 小李 5 月刚离了婚，10 月就又结婚了。
4. 他考试考了第一名，心情不错。
5. 别人都不愿意进他的房间，他的房间又脏又乱。
6. 那个盘子是从非洲带来的，是工艺品。

第二十七课 Lesson 27
这么简单的魔术我也能变

听后模仿 Listen and Repeat

一、听词组,然后跟读 Listen to the phrases and repeat after them:

精彩	节目很精彩	精彩的表演	精彩极了		
简单	非常简单	简单得很	不简单		
明白	不明白	听得明白	弄不明白		
锁	锁车	锁门	锁在房间里	把门锁上	把车锁上
底	月底	年底			
靠	靠窗户	靠门	靠边儿	靠中间	

二、听句子,然后跟读 Listen to the sentences and repeat after them:

1. 刚才的表演真精彩。
2. 那个魔术师又走上台来了。
3. 这么简单的魔术我也能变。
4. 我把钥匙锁在房间里了,我能从你们家窗户爬过去吗?
5. 还得麻烦您,我能用一下儿你家的电话吗?
6. 这段时间我太忙了,又要考试,又要准备实习。
7. 这个月底有俄罗斯芭蕾舞团的演出。
8. 我一定想办法买到靠前的票,价钱不是问题。

功能会话 Functional Dialogues

一、【评论】(Making comments)

A: 刚才的表演真精彩。你看,那个魔术师又走上台来了。这次又要变什么呢?

B: 大概是用布盖上那个空鱼缸,把布拿起来的时候,鱼缸里会有很多水和几条鱼。

A：这个魔术我看过，很一般。这么简单的魔术我也能变。

B：你也能变？我不相信。

A：以后有机会，我变给你看。

B：你喜欢哪种魔术表演？

A：我最欣赏那种神奇的魔术表演，比如在一个空箱子里变出活人来。

B：我也是。太神了，到现在我也弄不明白，他们是怎么变的。

A：估计是利用现代高科技完成的。

B：也许是吧。

1. 判断正误　Determine whether the following statements are true or false:

（1）✓　（2）✗　（3）✓

二、【寻求帮助 2】（Asking for help 2）

A：你好！有什么事吗？

B：对不起，打扰了。我是你们的邻居，我把钥匙锁在房间里了，我能从你们家窗户爬过去吗？

A：不行。这是5层，太危险了。你可以等你爱人晚上回来啊。

B：我爱人出差了，要下个星期才回来呢。

A：你最好给派出所打个电话，让他们帮你吧。

B：只能这样了。还得麻烦您，我能用一下儿你家的电话吗？

A：可以，请进来吧。

1. 选择正确答案　Choose the right answers:

（1）C　（2）B　（3）C　（4）A

课　文　Text

陈亮：李秋，我们很长时间没一起去看演出了。

李秋：这段时间我太忙了，又要考试，又要准备实习。

陈亮：你什么时候去实习？

李秋：大概下个月吧。

陈亮：去哪儿实习？

李秋：听说是去一些大饭店。

陈亮：你一去实习，就会更忙。最近我们找个时间去看场演出吧。

李秋：好啊。陈亮，有什么好的演出吗？

陈亮：有一个魔术表演，听说得过国际大奖。

李秋：我对这个没兴趣。不就是在观众中间钓鱼，变鸡蛋，变小动物什么的，我也会。

陈亮：你也会？我不信。

李秋：不信？找一天我表演给你看。

陈亮：好啊。那咱们去看什么演出呢？

李秋：有没有芭蕾舞或者现代舞表演？

陈亮：对了，这个月底有俄罗斯芭蕾舞团的演出。

李秋：太好了！我最喜欢俄罗斯芭蕾舞团了，特别是《天鹅湖》，精彩极了。

陈亮：我明天就去订票。希望能订到比较靠前的座位。

李秋：那会很贵的。咱们有望远镜，坐在后边也没关系。

陈亮：你那么喜欢芭蕾舞，我一定想办法买到靠前的票，价钱不是问题。

李秋：随便，怎么样都行。

注释 Note

① 不就是…

表示只不过如此，有轻视的语气。

It means nothing but..., with a tone of contempt.

② 变小动物什么的

"什么的"这里相当于"等等"或"等"。比如："我喜欢打网球、游泳什么的。"

"什么的" here equals to "等等" or "等", e.g. "我喜欢打网球、游泳什么的。"

③ 怎么样都行。

这里表示说话人没有意见，一切交给对方处理。

Here it means the speaker has no objection, leaving everything to the other party.

一、判断正误 Determine whether the following statements are true or false:

1. √ 2. × 3. √ 4. × 5. ×

理解及听辨练习
Comprehension and Differentiation

一、听句子判断正误：

Listen and determine whether the following statements are true or false:

1. 昨天他听的那个演讲精彩极了。 (√)
2. 这个魔术很一般，小孩子也会。 (√)
3. 他不相信我会开车。 (√)

4. 到现在他也没弄明白这个菜是怎么做的。 (×)
5. 别打扰他,让他多睡一会儿。 (×)
6. 这个月底有现代舞表演。 (×)

二、听句子选择正确答案 Listen and choose the right answers:

1. 他看明白了那个魔术是怎么变的。 (A)
2. 他一般都是坐公共汽车上班。 (A)
3. 上个月他特别忙,周末也加班了,最近好了。 (C)
4. 那个魔术师走到观众中间,请一个观众跟他一起表演。 (C)
5. 昨天他忘了锁车,车丢了。 (C)
6. 他利用暑假去欧洲五国旅游了。 (A)

三、听后快速回答问题 Listen and answer the questions quickly:

1. 俄罗斯芭蕾舞团六月底来北京演出。
2. 我估计他明年还会来。
3. 他女朋友不相信那封信是他写的。
4. 他现在的公司就是他实习的那家公司。
5. 他不吃鸡蛋,也不吃肉,只吃青菜。
6. 坐在靠后的座位没关系,可以用望远镜。

第二十八课　Lesson 28　我一个人拿不了

听后模仿　Listen and Repeat

一、听词组，然后跟读　Listen to the phrases and repeat after them:

毕业	初中毕业	高中毕业	大学毕业	
网络	电脑网络	网络电话	网络学校	网络公司
申请	写申请	申请出国	申请参加	
贸易	贸易公司	贸易谈判	贸易洽谈会	
经验	有经验	有很多经验	经验丰富	
科学	学科学	懂科学	不科学	
规模	有规模	规模很大	有一定的规模	
怕	怕脏	怕冷	怕热	怕考试

二、听句子，然后跟读　Listen to the sentences and repeat after them:

1. 你觉得我有南方口音吗？
2. 我大学毕业以后在一家银行工作。
3. 希望能再见面。祝你好运！
4. 这次洽谈会你一定得参加，以后再休假。
5. 我非去不可吗？
6. 借这次机会，宣传一下儿咱们公司的产品。
7. 这次的博览会规模很大，我怕咱们去的人少忙不过来。
8. 我们要带很多资料去，我一个人也拿不了。
9. 我想，你在家一定是一个好丈夫、好父亲。

功能会话　Functional Dialogues

一、【谈经历】（Talking about experiences）

A：张先生，你是什么时候来北京的？

B：大概十年前吧。你觉得我有南方口音吗？

A：没有。你是在北京上的大学吗？

B：没错儿。十年前我来北京上大学，读的是经济贸易专业。

A：毕业以后做什么工作？

B：在电视台工作，然后又换到一家网络公司。李大中，你来中国以前是做什么的？

A：我在银行工作，这家银行在中国有办事处，我很想申请在那儿工作。

B：你学了多长时间的汉语了？

A：已经快一年了。七月我就要回国了，要是得到了那个工作，明年春天还能来。

B：希望能再见面。祝你好运！

注释　Note

没错儿。

表示同意对方所说的话。

It means agreeing to what the other party says.

1. 选择正确答案　Choose the right answers:

（1）B　（2）C　（3）A　（4）B

二、【表示坚持】（Expressing persistence）

A：赵经理，下星期在广州有一个经济与贸易洽谈会，咱们公司参加吗？

B：当然得参加了。小陈，这是宣传咱们公司产品的好机会，你今天就去订两张飞机票。

A：两张？还有谁跟您一起去啊？

B：你啊。每次不都是你跟我一起去吗？

A：您忘了，我下星期一开始休假。

B：这样吧，这次洽谈会你一定得参加，以后再休假，怎么样？

A：我非去不可吗？我已经答应我女朋友了，陪她去南方旅行。

B：你是咱们公司最有经验的销售员，公司产品的宣传工作，全靠你了，你非去不可。

A：好吧，可是我得多休一个星期的假。

B：只要你参加了洽谈会，多休一个星期，没问题。

课文 Text

赵经理：陈卉，下个月在广州有一个教育与科技博览会，听说有很多国际知名企业参加。

陈　卉：这可是个好机会，赵经理，咱们公司一定得参加。

赵经理：我也是这么想的。借这次机会，宣传一下儿咱们公司的产品。

陈　卉：博览会几号开始？

赵经理：15 号开始，20 号结束。

陈　卉：我今天就去订票。

赵经理：可是 15 号我有一个重要的合同要签。你 14 号先去，我 15 号到。

陈　卉：这次我们几个人去参加博览会啊？

赵经理：我想，我们两个人就够了。

陈　卉：可是，赵经理，这次的博览会规模很大，我怕一个人忙不过来。

赵经理：那让销售部的小张跟你一起走，你看怎么样？

陈　卉：多一个帮手当然好了。我们要带很多资料去，我一个人也拿不了。

赵经理：不是只有一箱资料吗？

陈　卉：不只是资料，还有公司的产品，一个箱子装不下。

赵经理：你们最好坐飞机去。坐飞机又省时又省力，那两箱资料可以托运。

陈　卉：有你这么体贴人的老板，我真觉得很幸运。

赵经理：有你们这么好的职员，我应该做得更好才对啊。

陈　卉：我想，你在家一定是一个好丈夫、好父亲，得让爱华多向你学习学习。

赵经理：爱华也很不错啊，你很有眼力。找个时间我们大家聚聚，好好聊聊。

陈　卉：没问题。

一、判断正误　Determine whether the following statements are true or false:

1. ×　2. ✓　3. ×　4. ✓　5. ✓

理解及听辨练习
Comprehension and Differentiation

一、听句子判断正误：

Listen and determine whether the following statements are true or false:

1. 他是五年前大学毕业的。　(×)
2. 从昨天开始，电视台播一部韩国电视剧。　(×)

3. 他准备让他女儿申请去国外读大学。 (√)

4. 这次博览会有很多国际知名企业参加。 (√)

5. 小李是公司最有经验的销售员，这次公司的产品宣传工作，他非去不可。 (×)

6. 他常教育他的孩子要有理想，长大以后当科学家。 (×)

二、听句子选择正确答案 Listen and choose the right answer:

1. 那个网络公司在中国的办事处，一个在北京，一个在上海。 (B)
2. 他在大学读的是英语专业，毕业以后去电视台做翻译工作了。 (C)
3. 他每年有三十天假，今年的假他还没休完呢。 (C)
4. 那是一家知名企业，产品有很多种。 (C)
5. 上飞机手里只能拿一件行李，另外两件得托运。 (C)
6. 这个周末大家都有空儿，咱们几家人一起聚聚。 (C)

三、听后快速回答问题 Listen and answer the questions quickly:

1. 他大学一毕业就工作了。
2. 他六点就起床，七点以前就出门了，怕路上堵车。
3. 带小张一起去吧，这样还能多一个帮手。
4. 他跟公司签了五年的合同，他才干了三年就想出国，不干了。
5. 她丈夫是一家知名企业的总经理。
6. 你能考上全国最有名的大学，你真幸运。

第二十九课 Lesson 29 我没受伤

听后模仿 Listen and Repeat

一、听词组，然后跟读 Listen to the phrases and repeat after them:

迟到	上课迟到	上班迟到	别迟到
抱歉	真抱歉	非常抱歉	太抱歉了
撞	撞坏了	被车撞了	撞人了
处理	快速处理	处理问题	处理一下儿
成绩	成绩及格	成绩不错	好成绩
研究生	考研究生	读研究生	研究生毕业
发生	发生交通事故	发生了什么事	发生问题

二、听句子，然后跟读 Listen to the sentences and repeat after them:

1. 真抱歉，我的汽车被一辆摩托车撞了。
2. 请原谅，是我错怪你了。
3. 为了向你表示歉意，晚上我请你吃饭。
4. 这次考试你考得怎么样？
5. 你的学习一直都不错，不会不及格吧？
6. 我没受伤，可是车被撞坏了，开不了了。
7. 现在发生交通事故快速处理，警察很快就来了。
8. 我的车被拖到修理厂去了。
9. 咱们去好好吃一顿，庆贺我大难不死。

功能会话 Functional Dialogues

一、【请求原谅】(Begging for pardon)

A：王中，你怎么才来？每次约会都迟到。

B：真抱歉，我的汽车被一辆摩托车撞了。刚处理完，我就马上来了。

A：撞得厉害吗？

B：不太严重，已经送修理厂了。

A：请原谅，是我错怪你了。

B：没关系。我已经习惯了。

A：你说什么？

B：没什么。我是说，为了向你表示歉意，晚上我请你吃饭，地方你随便选。

1. 判断正误　Determine whether the following statements are true or false：

(1) ✓　(2) ×　(3) ×　(4) ✓

二、【谈学习】(Talking about study)

A：这次考试你考得怎么样？

B：数学和英语很好，可是历史和文学考得不理想。

A：你的学习成绩一直都不错，不会不及格吧？

B：不会。

A：研究生的考试是几月？

B：明年一月。

A：这个暑假你打算补习吗？

B：还没想好呢。

注释　Note

可是历史和文学考得不理想。

"不理想"在这儿表示没达到自己所希望的程度。

"不理想" here means falling short of one's expectations.

课　文　Text

李秋：陈亮，你怎么这么晚才来？你的脸怎么那么红？

陈亮：我怕你等急了，我跑来的。

李秋：跑来的？你没开车吗？

陈亮：开了，可是半路上出了点问题。

李秋：怎么了？发生了什么事？

陈亮：今天真倒霉。刚开出来一会儿，前边的一辆车突然刹车，就撞上了。

李秋：你受伤没有？车被撞成什么样了？

陈亮：我没受伤，可是车被撞坏了，开不了了。最倒霉的还不是我撞前边的车。

李秋：还有比这更倒霉的？
陈亮：我后边的一辆大公共汽车又撞上了我的车，所以车的前、后都被撞坏了。
李秋：叫警察了吗？
陈亮：叫了。现在发生交通事故快速处理，警察很快就来了。
李秋：那你的车怎么办呢？保险公司会赔吗？
陈亮：我的车被拖到修理厂去了，还要做责任鉴定。
李秋：一定是你后边那辆车的责任。
陈亮：也不一定。
李秋：好了，别想了，让保险公司去负责吧。
陈亮：说得对。李秋，咱们去好好吃一顿，庆贺我大难不死。
李秋：对，庆贺一下儿。

注释 Note

大难不死

中国有句俗话叫"大难不死，必有后福"，意思是能在大难中活下来，今后一定有好运气、好福气。

As the Chinese saying goes, "大难不死，必有后福", a man who can survive a disaster is bound to have good luck later.

一、判断正误 Determine whether the following statements are true or false:

1. ✓　2. ×　3. ×　4. ×　5. ✓

理解及听辨练习
Comprehension and Differentiation

一、听句子判断正误：

Listen and determine whether the following statements are true or false:

1. 这是他第一次跟女朋友约会。 (✓)
2. 他早上起床起晚了，所以上班迟到了。 (✓)
3. 他妈妈昨天过马路的时候，被一辆摩托车撞伤了。 (×)
4. 他没把你们的秘密告诉别人，是你错怪他了。 (×)
5. 他的数学课成绩不错，可是历史和文学课成绩很差。 (✓)
6. 这是他新买的车，还没来得及买保险呢。 (✓)

二、听句子选择正确答案 Listen and choose the right answers:

1. 他的自行车钥匙被他弄丢了。 (B)
2. 他的学习成绩一直不错,可是这次数学没考好。 (C)
3. 他准备考研究生,今年暑假他要上补习班。 (C)
4. 鉴定结果出来了,是后边车的责任。 (B)
5. 他的车买了保险了,要是车被撞了,保险公司负责赔。 (C)
6. 他每次约会总迟到。 (B)

三、听后快速回答问题 Listen and answer the questions quickly:

1. 现在北京发生交通事故快速处理。
2. 他的房间被几个孩子弄得又脏又乱。
3. 他的车还在修理厂呢,明天他得坐公共汽车上班了。
4. 他晚上有事,不一定来了。
5. 他考上了数学专业的研究生。
6. 他以前很喜欢看球赛,可是最近突然不喜欢了。

第三十课　Lesson 30　祝你一路顺风

听后模仿　Listen and Repeat

一、听词组,然后跟读　Listen to the phrases and repeat after them:

方法	减肥方法	学习方法	工作方法	好方法	
健康	健康食品	身体健康	很健康	不健康	
舍不得	舍不得吃	舍不得穿	舍不得买	舍不得用	
挺	挺聪明的	挺漂亮的	挺贵的	挺难学的	挺严重的

二、听句子,然后跟读　Listen to the sentences and repeat after them:

1. 我最近越来越胖了。
2. 你应该锻炼身体,吃健康食品。
3. 明天我就要回国了,真舍不得离开这里。
4. 要是不继续学,很快就会忘的。
5. 谢谢你们这一年来对我的关心和照顾。
6. 我和陈亮打算今年十月订婚,明年春节结婚。
7. 我是想给你们一个惊喜。
8. 我敬你们一杯,祝你们生活幸福美满,能白头偕老。
9. 我们大家再次举杯,祝爱华一路顺风!

功能会话　Functional Dialogues

一、【谈减肥】(Talking about losing weight)

A:我最近越来越胖了,怎么办呢?

B:减肥啊。

A:我已经试了好多种方法了,又喝减肥茶,又节食,都没用。

B:你应该锻炼身体,吃健康食品。我每天早上都去操场练健身操。

A:我不喜欢健身操。

B:你可以打球啊,练武术啊,都可以健身减肥。

A：其实我很喜欢体育运动的，小时候我练过体操。现在因为工作太忙，越来越懒了。

B：明天就开始锻炼吧。

1. 选择正确答案　Choose the right answers:

（1）C　（2）C　（3）B

二、【送别】（Seeing off）

A：小李，明天我就要回国了，真舍不得离开这里。

B：大卫，我们也很舍不得你走，以后还有机会再见面。

A：我想我还会回来的。

B：回国以后得继续练习说汉语，要是不继续学，很快就会忘的。

A：放心吧，我用汉语给你写信。如果有写错的地方，你就帮我改正。

B：你的行李多吗？要不要我送你去机场？

A：不用。我已经订了一辆车，明天早上六点来接我。

B：那我们就说再见吧，祝你一路顺风！

1. 判断正误　Determine whether the following statements are true or false:

（1）✓　（2）✗　（3）✗

课　文　Text

（在烤鸭店）（At a roast duck restaurant）

李志远：爱华就要回国了，我们一起吃顿饭，为他饯行。来，大家都举杯，干杯！

大　家：干杯！

李爱华：谢谢大家。叔叔、婶婶，我敬你们一杯，谢谢你们这一年来对我的关心和照顾。

李　秋：爱华，你最应该感谢的是我。

陈　亮：李秋，为什么是你？

李　秋：陈亮，你平时挺聪明的，这个你都不明白吗？

陈　亮：噢，我明白了，是你把陈卉介绍给他。对了，陈卉怎么没来啊？

李爱华：她出差了。后天回来。

李　秋：赵经理也真是的，这个时候还让陈卉出差。

李爱华：来，李秋，我也敬你一杯。谢谢你把这么漂亮、温柔、贤惠的小姐介绍给我。

李　秋：陈卉一定会是一个好妻子，这可是你来中国最大的收获。

李爱华：是啊。我真舍不得离开这里。

李　秋：你回国以后，得经常给我们写信啊，要是不常联系，我们就会把你忘了的。

李爱华：我不但要写信，而且明年暑假还打算再回来。

陈　亮：我们也可以去美国看你啊。

李爱华：好啊，如果有机会，叔叔、婶婶，还有李秋、陈亮，你们可以一起来美国玩。

陈　亮：李秋，咱们可以去美国度蜜月旅行啊。

李爱华：怎么？你们快要结婚了吗？

陈　亮：李秋，今天是不是把咱们的好消息告诉大家呢？

李　秋：好吧。我和陈亮打算今年十月订婚，明年春节结婚。

李志远：这么重要的事你怎么不提前告诉爸、妈呢？

李　秋：现在说晚了吗？我是想给你们一个惊喜。

李爱华：不晚，在我走以前能知道这个消息，我真的很高兴。我敬你们一杯，祝你们生活幸福美满，能白头偕老。

李　秋：爱华，你的汉语学得不错啊，连这样的话都学会了。

陈　亮：借你的吉言。来，我们大家再次举杯，祝爱华一路顺风！

注释　Notes

① 赵经理也真是的

"真是的" 表示一种埋怨与不满。比如："真是的，今天刚穿的新衣服就弄脏了。"

"真是的" expresses complaint and dissatisfaction, e.g. "真是的，今天刚穿的新衣服就弄脏了。"

② 怎么？你们快要结婚了吗？

疑问代词"怎么"放在句首并且后面有停顿时，常表示惊奇。比如："怎么？你不知道他出差了？"

The interrogative pronoun "怎么" often expresses surprise when used at the beginning of a sentence and with a pause after it, e.g. "怎么？你不知道他出差了？"

③ 白头偕老

这是祝贺别人结婚时常说的一句话。

It is often used to congratulate a newly-married couple.

一、判断正误　Determine whether the following statements are true or false:

1. √　2. √　3. √　4. ×　5. ×

理解及听辨练习
Comprehension and Differentiation

一、听句子判断正误:

Listen and determine whether the following statements are true or false:

1. 他一点儿都不胖,不用减肥。(×)
2. 减肥的好方法是锻炼,不是节食。(√)
3. 如果总睡懒觉,身体会越来越差。(√)
4. 明天他就要回国了,可是他舍不得离开这里。(×)
5. 他们打算在中国订婚,去美国度蜜月。(×)
6. 她是一个温柔贤惠的好妻子,很体贴丈夫。(√)

二、听句子选择正确答案　Listen and choose the right answers:

1. 为了减肥,她每天早上去操场练健美操。(C)
2. 他小时候练过武术和体操,现在身体很健康。(C)
3. 他现在越来越懒了,在家饭也不做,衣服也不洗。(A)
4. 他妻子不工作,她要在家照顾孩子。(B)
5. 那个孩子平时看起来挺聪明的,可是学习成绩一直很差。(C)
6. 他给父母一个惊喜,告诉他们他考上大学了。(A)

三、听后快速回答问题　Listen and answer the questions quickly:

1. 他太胖了,该减肥了。
2. 平时他工作很忙,到了周末就想好好睡个懒觉。
3. 他妻子不愿意出国学习,因为儿子还太小,她舍不得离开。
4. 大家举杯,祝他一路顺风,回国找一个好工作。
5. 这次来中国最大的收获是找到了一个理想的爱人。
6. 明年春节他们要结婚,然后去欧洲度蜜月。

生 词 总 表
Vocabulary

A

唉	（叹）	ài	alas	21
爱	（动）	ài	to love	20
安静	（形）	ānjìng	quiet	20
安排	（动、名）	ānpái	to arrange；arrangement	17

B

芭蕾舞	（名）	bālěiwǔ	ballet	27
白头偕老		bái tóu xié lǎo	live to a ripe old age in conjugal bliss	30
办法	（名）	bànfǎ	way	24
办公室	（名）	bàngōngshì	office	22
半价	（名）	bànjià	half price	19
半路	（名）	bànlù	midway	29
办事处	（名）	bànshìchù	office	28
帮忙		bāng máng	to help	23
帮手	（名）	bāngshou	helper	28
保护	（动）	bǎohù	to protect	25
保险	（名）	bǎoxiǎn	insurance	29
报酬	（名）	bàochou	payment	23
抱歉	（形）	bàoqiàn	sorry	29
被	（介）	bèi	by	29
备份	（名）	bèifèn	backup	22
比	（介、动）	bǐ	than；to compare	20
笔记本	（名）	bǐjìběn	notebook	22
比如	（动）	bǐrú	for example	21
笔试	（名）	bǐshì	written examination	26
毕业		bì yè	to graduate	28
变	（动）	biàn	to change	25
遍	（量）	biàn	*measure word*	17
表示	（动、名）	biǎoshì	to express；expression	18

表演	（动、名）	biǎoyǎn	to perform; performance	19
博览会	（名）	bólǎnhuì	fair	28
不断	（副）	búduàn	continuously	16
不过	（连）	búguò	but	20
补习	（动）	bǔxí	to attend make-up lessons	29
布	（名）	bù	cloth	27
不好意思		bù hǎoyìsi	embarrassed	19
不一定		bù yídìng	not necessarily	29

C

采取	（动）	cǎiqǔ	to adopt	25
参观	（动）	cānguān	to visit	26
操	（名）	cāo	exercise	30
操场	（名）	cāochǎng	playground	30
草	（名）	cǎo	grass	17
草坪	（名）	cǎopíng	lawn	17
查	（动）	chá	to check	22
差	（形）	chà	poor	21
差不多	（形）	chàbuduō	about the same	21
产品	（名）	chǎnpǐn	product	28
车厢	（名）	chēxiāng	railway carriage	19
沉	（形）	chén	heavy	22
成	（动）	chéng	to become	23
成绩	（名）	chéngjì	score	29
城市	（名）	chéngshì	city	21
迟到	（动）	chídào	to be late	29
冲	（动）	chōng	to develop	24
抽	（动）	chōu	to smoke	24
出国		chū guó	to go abroad	18
出门		chū mén	to go out	18
初中	（名）	chūzhōng	junior middle school	23
处理	（动）	chǔlǐ	to repair	29
船	（名）	chuán	boat	20
传统	（名）	chuántǒng	tradition	21
窗户	（名）	chuānghu	window	27

春节	（名）	Chūn Jié	the Spring Festival	21
次	（量）	cì	*measure word*	17
聪明	（形）	cōngmíng	clever	16
存折	（名）	cúnzhé	passbook	24
错怪	（动）	cuòguài	to wrong	29
措施	（名）	cuòshī	measure	25

D

答应	（动）	dāying	to promise	21
打工		dǎ gōng	to work part-time	23
打雷		dǎ léi	to thunder	18
打扰	（动）	dǎrǎo	to disturb	27
打印	（动）	dǎyìn	to print	23
打招呼		dǎ zhāohu	to say hello to	17
大概	（副）	dàgài	probably	18
戴	（动）	dài	to wear	19
代表	（名）	dàibiǎo	representative	18
袋子	（名）	dàizi	bag	24
担心		dān xīn	worry	21
当	（动）	dāng	to be	16
倒霉		dǎo méi	bad luck	29
得到		dédào	to get	28
地	（助）	de	*structural particle*	16
等	（助）	děng	and so on; etc.	21
底	（名）	dǐ	end	27
地方	（名）	dìfang	place	17
电脑	（名）	diànnǎo	computer	22
电视台	（名）	diànshìtái	TV station	28
雕	（动）	diāo	to carve	26
订婚		dìng hūn	to be engaged to	30
懂	（动）	dǒng	to understand	21
动物	（名）	dòngwù	animal	27
动物园	（名）	dòngwùyuán	zoo	20
都	（副）	dōu	all	17
读	（动）	dú	to read	28

度	（动）	dù	to spend	30
段	（量）	duàn	*measure word*	27
对	（介）	duì	toward	17
顿	（量）	dùn	*measure word*	29

E

儿童	（名）	értóng	child	19
儿子	（名）	érzi	son	16

F

发生	（动）	fāshēng	to happen	29
发展	（动、名）	fāzhǎn	to develop；development	23
翻译	（动、名）	fānyì	to translate；translation	23
方法	（名）	fāngfǎ	method	30
方面	（名）	fāngmiàn	side，respect	21
房地产		fángdìchǎn	real estate	21
房间	（名）	fángjiān	room	26
放假		fàng jià	have a holiday	17
放心		fàng xīn	to set one's mind at rest	21
非…不可		fēi…bùkě	must；have to	28
…分之…		…fēnzhī…	*used in fractions and percentages*	21
分钟	（名）	fēnzhōng	minute	23
封	（量）	fēng	*measure word*	18
丰富	（形）	fēngfù	rich；plentiful	21
风景	（名）	fēngjǐng	landscape	20
扶	（动）	fú	to support with the hand	24
幅	（量）	fú	*measure word*	20
福气	（名）	fúqi	good fortune	19
付	（动）	fù	to pay	20
副	（量）	fù	*measure word*	19
负责	（动）	fùzé	to be responsible for	29

G

改	（动）	gǎi	to change	18
改善	（动）	gǎishàn	to improve	25

改正	（动）	gǎizhèng	to correct	30
盖	（动）	gài	to cover	27
干净	（形）	gānjìng	clean	21
感觉	（动、名）	gǎnjué	to feel; feeling	17
感谢	（动）	gǎnxiè	to thank	23
干吗		gànmá	why	26
缸	（名）	gāng	jar; bowl	27
刚才	（名）	gāngcái	just now	20
钢琴	（名）	gāngqín	piano	16
高中	（名）	gāozhōng	senior middle school	23
各	（代）	gè	each; every	25
个子	（名）	gèzi	height; build	24
跟	（动）	gēn	to follow	25
公关	（名）	gōngguān	public relations	26
工具	（名）	gōngjù	tool	25
公务员	（名）	gōngwùyuán	public servant	26
恭喜	（动）	gōngxǐ	to congratulate	18
工艺品	（名）	gōngyìpǐn	handicraft	26
公园	（名）	gōngyuán	park	20
贡献	（动、名）	gòngxiàn	to contribute; contribution	25
够	（形、动）	gòu	enough; to suffice	24
估计	（动）	gūjì	to reckon	27
故意	（形）	gùyì	deliberate	22
关心	（动）	guānxīn	to take care	30
关于	（介）	guānyú	about	23
观众	（名）	guānzhòng	audience	27
逛	（动）	guàng	to stroll	26
规模	（名）	guīmó	scale	28
贵重	（形）	guìzhòng	valuable	24
国际	（名）	guójì	international	24
国庆节	（名）	Guóqìng Jié	National Day	17
过	（助）	guò	*aspect particle*	17
过分	（形）	guòfèn	excessive	19

H

海鲜	（名）	hǎixiān	seafood	18

海洋	（名）	hǎiyáng	ocean	20
航班	（名）	hángbān	flight	24
航空	（名）	hángkōng	aviation	24
好像	（动）	hǎoxiàng	to look like	24
合同	（名）	hétong	contract	28
合资	（名）	hézī	joint capital	23
后天	（名）	hòutiān	day after tomorrow	22
花	（动）	huā	to spend	16
划	（动）	huá	to row	20
话	（名）	huà	language; speech	21
画	（动）	huà	to paint	16
画儿	（名）	huàr	painting	16
画家	（名）	huàjiā	painter	16
话剧	（名）	huàjù	modern drama	26
环境	（名）	huánjìng	environment	17
绘画	（名）	huìhuà	painting	23
活	（动）	huó	to live	27
活动	（名）	huódòng	activity	21
或者	（连）	huòzhě	or	20

J

鸡蛋	（名）	jīdàn	egg	27
机关	（名）	jīguān	office	26
机会	（名）	jīhuì	chance	16
激烈	（形）	jīliè	intense	21
及格		jí gé	pass	29
吉言	（名）	jíyán	propitious words	30
急诊室	（名）	jízhěnshì	emergency room	24
记	（动）	jì	to remember	22
记得	（动）	jìde	to remember	24
计划	（动、名）	jìhuà	to plan; plan	17
技术	（名）	jìshù	technology	20
继续	（动）	jìxù	to continue	30
加班		jiā bān	work overtime	22
家教	（名）	jiājiào	private teacher	23

家庭	（名）	jiātíng	family; household	23
价	（名）	jià	price	19
架	（量）	jià	*measure word*	16
假	（名）	jià	holiday; leave of absence	17
价钱	（名）	jiàqian	price	20
价值	（名）	jiàzhí	value	26
剪	（动）	jiǎn	to cut	17
简单	（形）	jiǎndān	simple	27
减肥		jiǎn féi	to lose weight	30
减少	（动）	jiǎnshǎo	to reduce	25
鉴定	（动、名）	jiàndìng	to appraise; appraisal	29
健康	（形、名）	jiànkāng	healthy; health	30
健身	（动）	jiànshēn	body-building	30
饯行	（动）	jiànxíng	to give a farewell dinner	30
建议	（动、名）	jiànyì	to suggest; suggestion	16
建筑	（名）	jiànzhù	building	21
奖	（名、动）	jiǎng	prize	27
讲座	（名）	jiǎngzuò	lecture	23
胶卷儿	（名）	jiāojuǎnr	film	24
郊区	（名）	jiāoqū	suburb	17
交通	（名）	jiāotōng	traffic	29
叫	（动）	jiào	by	29
教师	（名）	jiàoshī	teacher	23
教育	（名）	jiàoyù	education	28
街	（名）	jiē	street	20
节	（名）	jié	festival	17
节目	（名）	jiémù	program	19
节食		jié shí	to go on diet	30
进步	（形、动）	jìnbù	progressive progress	16
近处	（名）	jìnchù	nearby place	19
近视	（名）	jìnshì	near-sighted	19
进行	（动）	jìnxíng	to conduct	26
禁止	（动）	jìnzhǐ	to forbid	25
精彩	（形）	jīngcǎi	wonderful	27
经济	（名）	jīngjì	economy	23

京剧	（名）	jīngjù	Peking opera	18
惊喜	（名）	jīngxǐ	pleasant surprise	30
经验	（名）	jīngyàn	experience	28
敬	（动）	jìng	to toast	30
竞争	（动、名）	jìngzhēng	to compete；competition	21
久	（形）	jiǔ	long	23
举	（动）	jǔ	to raise	30
聚	（动）	jù	to gather	28
剧院	（名）	jùyuàn	theater	18
决定	（动、名）	juédìng	to decide；decision	20

K

开会		kāi huì	to hold a meeting	22
开玩笑		kāi wánxiào	crack a joke	19
靠	（动、介）	kào	to lean on；near	27
棵	（量）	kē	*measure word*	25
科技	（名）	kējì	science and technology	20
科学	（名）	kēxué	science	20
可爱	（形）	kě'ài	lovely	18
可惜	（形）	kěxī	pity	24
客户	（名）	kèhù	client	22
客人	（名）	kèrén	guest	24
空气	（名）	kōngqì	air	17
恐怕	（副）	kǒngpà	*indicating an estimation*	22
空儿	（名）	kòngr	spare time	18
口音	（名）	kǒuyīn	accent	24
快速	（形）	kuàisù	fast	29

L

懒	（形）	lǎn	lazy	30
老	（形）	lǎo	old	19
老板	（名）	lǎobǎn	boss	26
老花镜	（名）	lǎohuājìng	presbyopic glasses	19
老太太	（名）	lǎotàitai	old lady	17
离婚		lí hūn	divorce	26

离开		lí kāi	to leave	30
理想	（名）	lǐxiǎng	ideal	20
力	（名）	lì	strength	28
历史	（名）	lìshǐ	history	29
利用	（动）	lìyòng	to make use of	27
联系	（动、名）	liánxì	to contact; contact	19
脸	（名）	liǎn	face	29
凉	（形）	liáng	cool	25
辆	（量）	liàng	*measure word*	19
聊天		liáo tiān	chat	26
了解	（动）	liǎojiě	to understand	23
列车	（名）	lièchē	train	22
邻居	（名）	línjū	neighbor	17
另	（形）	lìng	other	22
另外	（连）	lìngwài	moreover; besides	22
旅行社	（名）	lǚxíngshè	travel agency	19
旅游	（动）	lǚyóu	to tour	17
绿化	（动）	lǜhuà	to afforest	17
律师	（名）	lǜshī	lawyer	20
乱	（形）	luàn	messy	26

M

麻烦	（动、形）	máfan	to trouble; troublesome	23
马	（名）	mǎ	horse	21
马上	（副）	mǎshàng	at once	23
满意	（形）	mǎnyì	satisfied	23
贸易	（名）	màoyì	trade	28
美化	（动）	měihuà	to beautify	25
美满	（形）	měimǎn	happy; perfectly satisfactory	30
美术	（名）	měishù	fine arts	20
蜜月	（名）	mìyuè	honeymoon	30
免费		miǎn fèi	free of charge	19
面积	（名）	miànjī	area	25
面试	（名）	miànshì	interview	26

民族	（名）	mínzú	nationality	19
名	（名）	míng	place in a competition	16
明白	（动、形）	míngbai	to understand; clear	27
名胜古迹		míngshèng gǔjì	place of historic interest and scenic beauty	17
命	（名）	mìng	life	26
魔术	（名）	móshù	magic	27
魔术师	（名）	móshùshī	magician	27
摩托车	（名）	mótuōchē	motorcycle	29
木	（名）	mù	wood	26

N

拿	（动）	ná	to carry; to take	22
哪里	（代）	nǎli	where; it's nothing	19
那么	（代）	nàme	then	20
难道	（副）	nándào	*used in a rhetorical question for emphasis*	26
男孩		nán hái	boy	18
难	（名）	nàn	disaster	29
年级	（名）	niánjí	grade	23
年轻	（形）	niánqīng	young	19
弄	（动）	nòng	to make	22
女儿	（名）	nǚ'ér	daughter	18
女孩		nǚ hái	girl	18

P

怕	（副）	pà	to fear	28
牌子	（名）	páizi	board	25
派出所	（名）	pàichūsuǒ	police substation	27
盘子	（名）	pánzi	plate	26
胖	（形）	pàng	fat	30
陪	（动）	péi	to accompany	17
赔	（动）	péi	to compensate	29
培训	（动）	péixùn	to train	23
匹	（量）	pǐ	*measure word*	26
平时	（名）	píngshí	usually	20
破坏	（动）	pòhuài	destruction	25

普通	（形）	pǔtōng	common	21
普通话	（名）	pǔtōnghuà	Chinese common speech	21
铺	（名）	pù	berth	19

Q

妻子	（名）	qīzi	wife	30
其实	（副）	qíshí	in fact	20
企业	（名）	qǐyè	enterprise	28
洽谈	（动）	qiàtán	negotiation	28
签	（动）	qiān	to sign	18
签证	（名）	qiānzhèng	visa	18
歉意	（名）	qiànyì	apology	29
敲	（动）	qiāo	to knock	26
巧	（形）	qiǎo	coincidental	18
亲戚	（名）	qīnqi	relative	26
琴	（名）	qín	musical instrument	16
轻松	（形）	qīngsōng	light	23
请客		qǐng kè	to stand treat	24
庆贺	（动）	qìnghè	to celebrate	29
取	（动）	qǔ	to fetch	19
取消	（动）	qǔxiāo	to cancel	19
全	（副）	quán	all	24

R

热闹	（形）	rènao	lively；bustling	21
热情	（形）	rèqíng	warm-hearted	17
人口	（名）	rénkǒu	population	21
如果	（连）	rúguǒ	if	30

S

森林	（名）	sēnlín	forest	25
刹车		shā chē	brake	29
上	（名）	shàng	on	18
少数	（名）	shǎoshù	minority	19
舍不得		shě bu de	to grudge	30

社会	（名）	shèhuì	society	23
申请	（动）	shēnqǐng	to apply	28
神	（形）	shén	miraculous	27
神奇	（形）	shénqí	magical	27
生词	（名）	shēngcí	new word	16
生态	（名）	shēngtài	ecology	25
生意	（名）	shēngyi	business	21
食品	（名）	shípǐn	food	30
实习	（动）	shíxí	to practice	27
实现	（动）	shíxiàn	to realize	16
市	（名）	shì	city	16
市场	（名）	shìchǎng	market	21
事故	（名）	shìgù	accident	29
世界	（名）	shìjiè	world	16
收	（动）	shōu	to receive	23
收获	（动、名）	shōuhuò	to gain；gain	30
收入	（名）	shōurù	income	26
受伤		shòu shāng	to be injured	29
书法	（名）	shūfǎ	calligraphy	23
暑假	（名）	shǔjià	summer vacation	21
树	（名）	shù	tree	17
树苗	（名）	shùmiáo	sapling	25
数学	（名）	shùxué	mathematics	23
摔跤		shuāi jiāo	to wrestle	21
睡觉		shuì jiào	to sleep	16
顺便	（副）	shùnbiàn	conveniently；in passing	17
顺风	（形）	shùnfēng	plain sailing，good trip	30
顺利	（形）	shùnlì	smooth	22
顺路	（副）	shùnlù	on the way	25
司机	（名）	sījī	driver	24
死	（动）	sǐ	to die	25
随便	（形）	suíbiàn	casual	26
岁数	（名）	suìshu	age	19
孙子	（名）	sūnzi	grandson	24
所	（量）	suǒ	*measure word*	17

锁	（动、名）	suǒ	to lock；lock	27
所有	（形）	suǒyǒu	all	22

T

它	（代）	tā	it	24
台	（名）	tái	stage	27
弹	（动）	tán	to play（a musical instrument）	16
谈判	（动）	tánpàn	to negotiate	23
躺	（动）	tǎng	to lie	19
讨论	（动）	tǎolùn	to discuss	22
特点	（名）	tèdiǎn	characteristic	20
提醒	（动）	tíxǐng	to remind	22
体操	（名）	tǐcāo	gymnastics	30
体贴	（动）	tǐtiē	considerate	28
替	（介）	tì	for	18
挺	（副）	tǐng	rather	30
通过	（动）	tōngguò	to pass	26
通知	（动、名）	tōngzhī	to notice；notice	24
同事	（名）	tóngshì	colleague	26
同意	（动）	tóngyì	to agree	20
同志	（名）	tóngzhì	comrade	24
突然	（副）	tūrán	suddenly	29
土特产		tǔtèchǎn	local speciality	24
团	（名）	tuán	troupe	27
推	（动）	tuī	to push	19
拖	（动）	tuō	to tow	29
拖延	（动）	tuōyán	to procrastinate	22
托运	（动）	tuōyùn	to consign for shipment	28

W

外地	（名）	wàidì	other places	26
外公	（名）	wàigōng	grandfather	18
完	（动）	wán	to finish	22
完成	（动）	wánchéng	to accomplish	27
玩具	（名）	wánjù	toy	21

王国	（名）	wángguó	kingdom	25
网络	（名）	wǎngluò	network	28
望远镜	（名）	wàngyuǎnjìng	telescope	27
危险	（形）	wēixiǎn	dangerous	25
微笑	（动）	wēixiào	to smile	17
喂	（叹）	wèi	hello	18
温柔	（形）	wēnróu	tender	30
文化	（名）	wénhuà	culture	20
文学	（名）	wénxué	literature	29
文艺	（名）	wényì	literature and art	19
稳定	（形）	wěndìng	stable	26
舞	（名）	wǔ	dance	27
武术	（名）	wǔshù	martial arts	30

X

洗	（动）	xǐ	to wash	24
洗澡		xǐ zǎo	to have a bath	24
戏	（名）	xì	play	18
下班		xià bān	come off work	18
贤惠	（形）	xiánhuì	virtuous	30
现代	（名）	xiàndài	modern	20
现金	（名）	xiànjīn	cash	24
相信	（动）	xiāngxìn	to believe	27
箱子	（名）	xiāngzi	box	22
想法	（名）	xiǎngfǎ	idea	25
像	（动）	xiàng	to look like	18
相机	（名）	xiàngjī	camera	24
销售	（动）	xiāoshòu	to sell	22
消息	（名）	xiāoxi	news	18
小伙子	（名）	xiǎohuǒzi	young man	24
小说	（名）	xiǎoshuō	novel	16
笑	（动）	xiào	to laugh	17
些	（量）	xiē	some	17
心情	（名）	xīnqíng	mood	26
欣赏	（动）	xīnshǎng	to appreciate	20

心意	（名）	xīnyì	regard	26
信	（动）	xìn	to believe	27
信	（名）	xìn	letter	18
信心	（名）	xìnxīn	confidence	16
行李	（名）	xíngli	luggage	30
醒	（动）	xǐng	to wake	16
…性	（名、尾）	…xìng	*suffix of a noun*	25
兴趣	（名）	xìngqù	interest	20
幸运	（形）	xìngyùn	lucky	28
修	（动）	xiū	to repair	22
修改	（动）	xiūgǎi	to revise	22
休假		xiū jià	to take a vacation	28
修理厂	（名）	xiūlǐchǎng	repair shop	29
需要	（动）	xūyào	to need	19
宣传	（动、名）	xuānchuán	to publicize; publicity	28
选	（名）	xuǎn	to choose	16

Y

烟	（名）	yān	cigarette	24
淹	（动）	yān	to drown	25
研究	（动、名）	yánjiū	to research; research	20
研究生	（名）	yánjiūshēng	graduate student	29
严重	（形）	yánzhòng	severe	25
演出	（动、名）	yǎnchū	to perform; performance	27
演讲	（动）	yǎnjiǎng	to lecture	23
眼镜	（名）	yǎnjìng	eyeglasses	19
眼力	（名）	yǎnlì	judgment	28
样子	（名）	yàngzi	appearance	18
爷爷	（名）	yéye	grandfather	24
也许	（副）	yěxǔ	maybe	22
医生	（名）	yīshēng	doctor	20
以上	（名）	yǐshàng	above	19
以下	（名）	yǐxià	under	19
一般	（形）	yìbān	ordinary	27
艺术	（名）	yìshù	art	16

一些	（量）	yìxiē	some	22
因为	（连）	yīnwèi	because	22
饮食	（名）	yǐnshí	food and drink; diet	21
印象	（名）	yìnxiàng	impression	21
哟	（叹）	yō	*modal particle*	18
拥挤	（形）	yōngjǐ	crowded	21
优惠	（形）	yōuhuì	favourable; preferential	20
油画	（名）	yóuhuà	oil painting	16
游览	（动）	yóulǎn	to go sightseeing	17
尤其	（副）	yóuqí	especially	20
鱼	（名）	yú	fish	27
与	（介、连）	yǔ	and	28
园林	（名）	yuánlín	garden; park	17
原谅	（动）	yuánliàng	to forgive	29
远处	（名）	yuǎnchù	faraway place	19
愿望	（名）	yuànwàng	wish	16
约会	（名）	yuēhuì	appointment	29
粤	（名）	yuè	Canton	18
粤菜	（名）	yuècài	Cantonese food	18
越来越		yuèláiyuè	the more..., the more...	18
运	（动）	yùn	luck	28

Z

脏	（形）	zāng	dirty	26
遭	（动）	zāo	to suffer	25
糟糕	（形）	zāogāo	too bad	24
早	（形）	zǎo	early	22
早茶	（名）	zǎochá	morning tea	21
责任	（名）	zérèn	responsibility	29
增加	（动）	zēngjiā	to increase	23
展	（名）	zhǎn	show	16
展览	（名）	zhǎnlǎn	exhibition	16
站	（名）	zhàn	stop	23
站台	（名）	zhàntái	platform	22
长	（动）	zhǎng	to grow	18